講談社文庫

新装版
雪明かり

藤沢周平

目次

雪明かり

恐喝

一

暗い空から駈け下りてきた突風に捲きこまれて、思わず眼をつむったとき、竹二郎は右脚に激痛を感じた。

そこは構えの大きい履物屋《はきものや》の前で、最近普請《ふしん》でもしたらしく、店の端に、真新しい柱材五、六本と、山なりに積重ねた薄板の端切れが置いてある。その一枚が、滑《すべ》るように強風に乗って、向う脛《むこずね》に突き当ったのだった。

見栄《みえ》もなく片足で跳ねたほど痛かったが、御はきもの備前屋と記した看板を振向いた竹二郎の眼は鋭く光った。

賭場で最後まで目が出ず、きれいに毟《むし》られて懐中は一文なしである。たまたま脚にぶつかった板切れと、板切れ一枚にしては出来過ぎた痛みは、近頃江戸で評判の、狂言作者にして黄表紙、洒落本《しゃれぼん》の作家胃上亭先生の筆癖そのまま、竹二郎にとっては棚から牡丹餅《ぼたもち》、旱天《かんてん》から慈雨、橋下を這い上った乞食がそこでばったりと、裕福で施《ほどこ》し好きの旦那に出会ったようなものだった。

店に入ると、女客を相手に緒《お》の色のきらびやかな草履を並べて喋《しゃべ》っていた男が、顔を挙げて「いらっしゃいまし」と言った。

とりあえず手を揉《も》んでそう言ったものの、番頭風のその五十男の顔には、みるみる困惑のいろがひろがった。

月代《さかやき》は伸び放題、あたら男前の目鼻立ちを、眼つきの悪さがかなり割引き、紺の盲《めく》縞《じま》の袷《あわせ》に雪駄《せった》履《ば》きという、どう見直してもやくざ風である。それが派手に足をひきずり、片手に板切れを摑《つか》んで入ってきたところをみれば、なみの客でないことはひと眼で解《わか》る。

それでも番頭は、もうひと声かけた。

「何をさしあげましょう」

「買うんじゃねえよ」

竹二郎はにべもなく言った。

「売りに来たのだ」

「へ？」

番頭の顔には絶望的ないろが浮び、眼はうろたえて、竹二郎の顔と、左手に提《さ》げた板切れの間を走った。

それを無視して、竹二郎は陰気な眼つきで店の中を見廻した。番頭のほかに小僧がひとり売場に出ており、左端の帳場には若い男がいて、竹二郎の方をみないようにして帳面を繰《く》っている。

店の奥の仕事場にも、四、五人の人がいて、下駄の歯を入れたり、緒を拵《こしら》えたり働いているのが見えたが、そこからちらちらと視線が飛んで来、心なしか木槌《きづち》を使う音が小さくなったようだった。

水商売にみえる年増客《としま》が、挨拶もそこそこに出て行くと、店の中は不意に静まり返った。仕事場で使う木槌の音が、間遠《まどお》にするばかりで、店全体が次に竹二郎が何を言い出すかと、耳を傾けている感じだった。

その中に竹二郎の声がひびいた。

「おめえが番頭かい」

「さいでごわりますが」

「そいつは好都合だ。番頭さん、売りものはこれだよ」

竹二郎はパッと裾《すそ》をめくった。毛脛《けずね》の間に赤黒く斜めに血が滲《にじ》んだ傷がある。

「この足を買ってもらいてえ」

「これはまた、面白いご冗談を」

番頭は、額《ひたい》に薄く汗をかいている。竹二郎の言分《いいぶん》を、なんとか冗談にしてしまえないものかと必死なのである。だが竹二郎のがさつなどなり声が、番頭の希望を無慈悲に砕いた。

「面白いだと？　やい」

竹二郎は番頭の胸ぐらを摑んだ。

「俺はおめえを面白がらせようと、冗談言いに来たわけじゃねえぜ」

竹二郎は番頭から手を離すと、おう痛え、立ってられねえやと言って番頭の前に腰をおろした。

「この足はな、おめん家《ち》のこの板切れにぶち当たられて、ダメになっちまった。使いものにならなくなったのよ、だから置いて行く。買い取ってくんな」

「少々お待ちを」

番頭は懐紙《かいし》を出して、いそがしく額に押しあてた。

「すると、なんでごわりますか」

額にあてた手の下から、番頭は疑い深い眼を光らせた。

「その板があなたさまの足にあたって、その傷をと……」

「そうよ、それがてめえ面白いか」

「いえ、めっそうもない。しかしまたなんでそのようなことになりました？」

「風が吹いてら。嘘だと思ったら外に出てみなよ。え？　軒下《のきした》にいつまでも積んでおくから通行人が迷惑するぜ」

「これはまことにもって……。しかし、それが確かにうちの、あの、板切れだという証拠が……」

「てめえ、どたまぶち割るぜ。俺をたかり扱いする気かい」

竹二郎は店中にひびき渡る声で怒鳴った。

「てめえじゃ話にならねえ。旦那を出せ」

「お待ちを、少々お待ちを」

番頭は立上ると、二、三度よろめきながら奥へひっ込んだ。

あとには小僧が残った。竹二郎に尻をむけ、さりげなく履物を数えたり、場所を置き換えたりしているが、その背に怯《おび》えと好奇心がむき出しである。仕事場の方でも、手を休めてちらちらこちらをのぞいていたが、竹二郎が一度険悪な視線を浴びせると、思い出したようにまた木槌の音がひびいた。

番頭が出てきた。捧げるように手におひねりを持っている。

「まことに些少《さしよう》でごわります」

番頭は掌にのせたおひねりを、竹二郎の眼の前に差出した。

「治療代の足しにして頂きとうごわりますが」

竹二郎は、黙っておひねりを抓《つま》みあげると開いてみた。とたんにのぼせ上った。

「たった二分《ぶ》がこの店の挨拶かい。ケッ」

畳の上に紙包みを投げつけた。脛《すね》の傷が真正直にずきずき痛むのが、怒りを煽《あお》ってくる。

「おい番頭。おめえ、なにか勘違えしてねえかい。俺ア施《ほどこ》しを受けに来たんじゃねえぜ。大切な足を売ろうてんだ。足一本二分とは、えらく値切ったじゃねえか。え？俺の足はそんなに安いか」

「めっそうもない。少々お待ちを、少々」

番頭は、後にいた小僧が拾って渡した一分銀二つを、すばやく掌の中に隠すと、また足を縺《もつ》れさせながら奥へ走り込んだ。

結局三両せしめた。

当分遊べるぜ――備前屋の暖簾《のれん》を頭でわけて外に出ると、竹二郎は思わずほくそ笑《え》んだが、その顔は、清住町の通りを抜ける頃から、次第に渋面に変った。

こいつはいけねえ！――竹二郎は立止ると、額を濡らした膏汗《あぶらあせ》を拭《ぬぐ》った。坐っていたときは、ずきずき火照《ほて》り痛みするだけで、大したことはなさそうだったのだ。ところが歩いてみると、右脚の痛みはひと足運ぶごとにひどくなり、痛みが脳天までつき抜ける。いまは右脚は石のようで、一歩前に出るのに全身に汗をかいた。

そこは清住町を出た大川の川端で、竹二郎は霊雲寺の高い塀《へい》に凭《もた》れて蹲《うずくま》ると、心細く眼の前の川波を見つめた。

日が暮れかかっているらしく、黒い雲はところどころ断《き》れているが、そこから洩《も》れる光は明るくはない。時おり強く吹く風が、だだっ広い河岸の砂を捲きあげ、川波を白く波立たせている。

川向うの町並は、暗い空に圧《お》し潰《つぶ》されたように黙りこくった軒《のき》をならべ、その端に、右半分ほど永代橋《えいたいばし》がみえているが、そこを渡る人影がひどく小さく、気ぜわしげなのも心細かった。駕籠《かご》でも来ないかと思ったが、あたりはがらんとして人影もなく、まだ秋口だというのに、秋の終りのような寒々とした風景が視界を埋めているだけである。

こうしちゃいられねえ——竹二郎は立上り、右手の万年橋の方に、一歩用心深く踏み出した。そのとたん、激痛が脛《すね》から脇腹近くまで駈け上り、竹二郎はこらえ切れずに地面に腰を落した。眼が眩《くら》んだ。

「あの、どうしたんですか」

不意に背後で若い女の声がした。

伸ばした右脚をさすり、眼をつむったまま、竹二郎は小さく呻《うめ》いただけである。

「具合が悪いんですか」

声の主は、すぐそばに近寄って来たらしく、何かの花の香のような、いい匂いが竹二郎を包んだ。

「どうしたもこうしたもねえ」

漸《ようや》く眼を開いて、竹二郎はしかめた顔を挙げたが、思わず痛みを忘れた顔になった。近々とのぞき込んできている眼が、どきりとするほど美しい、若い娘である。黄《き》八丈《はちじょう》の袷に、黒い繻子《しゅす》の帯を胸高《むなだか》に締め、その胸が形よく張っている。

「あら、怪我《けが》したんですね」

黒々と光る眼が、同情をこめて曇るのを、竹二郎は眩《まぶ》しく見返したが、眼を逸《そ》らすとぶっきら棒に言った。

「転《ころ》んじまってね。いいざまだ」

「早く何とかしなければいけないわ」

娘は背を伸ばしてあたりを見廻したが、途方に暮れたように呟《つぶや》いた。

「あたしはなんにも持ってないし、人もいないしどうしよう」

「なあに、構わねえで行ってくだせえ。そのうち駕籠が来たら乗って行きまさア」

「あたしにつかまって頂戴な」

娘は決心したように言った。

「家が近いの。とに角家まで行きましょう。薬もあるし、ひどかったらお医者も呼んであげられるから」

「姐《ねえ》ちゃん、気持は有難《ありがて》えが、通りすがりのあんたの世話になるわけにはいかねえ」

「でも、その足じゃ仕方ないでしょ」

娘は甲斐甲斐《かいがい》しく手を伸ばしてきた。

「つかまって」

そうと決めてしまうと、娘にはためらいがなかった。下町育ちらしく、てきぱきと竹二郎を起《た》たせ、埃《ほこり》を払ってやり、腕の下に肩を入れてくる。

意気地なく竹二郎は娘の肩を借り、少しずつさっき来た道を引返しはじめた。

若い娘の匂いが噎《む》せるように鼻腔《びこう》を刺戟し、廻した腕の下の柔らかな肉づきの感触や、うっかりするとすぐに触れ合う、滑《なめ》らかな頬の感触に、竹二郎は眼が眩《くら》む気持がした。女は嫌いでないが、堅気《かたぎ》の、それもこの娘のように、人擦《ひとず》れしたところが気配も見えない生娘《きむすめ》は苦手だった。

娘は鼻のあたりに、うっすらと汗をかいている。

「そんなに力《りき》まないでくだせえ。姐ちゃんが力持ちなのはよくわかったしよ」

息苦しさを遁《のが》れたくて、竹二郎は言ったが、娘はふ、ふと含み笑いしただけで、懸命に足もとを見つめながら足を運んでいる。道を行く人が、この奇妙な道行《みちゆき》を無遠慮に眺め、薄笑いを浮べたが、竹二郎のひと睨《にら》みで、慌《あわ》てて顔をそむけて通り過ぎる。

「着いたわ」

やがて足を停《と》めた娘が、竹二郎の腕を担《かつ》いだまま、ほっとしたように手の甲で額の汗を拭った。竹二郎を仰いで無邪気に笑った歯並みが美しい。

「助かったぜ、姐ちゃん」

竹二郎は思わず腹の底からそう言ったが、顔を挙げて娘が言う家をみると、忽《たちま》ち眼を剝《む》いた。

これは竹二郎でなくとも驚く。娘が立止ったのは、御はきもの備前屋の看板の前である。

二

「竹ちゃん、おまんまどうするんだね」

唐紙《からかみ》を開けて、首を突き出したおたかが言った。

おたかは従姉《いとこ》で、竹二郎より二つ年上の二十五である。一度芝源助町の経師屋《きようじや》に縁づいたが亭主に死なれ、子供もなかったため戻ってきた。一年近く前のことである。切れ長の眼に色気があり、細面《ほそおもて》の整った顔をしているが、浅黒い肌とぽきぽきしたもの言いが、おたかを勝気な女にみせる。

「喰べないんなら片附けちゃうよ。いったいいつまで寝てるんだね。もう病人じゃないだろ」

「うるせえな、いま起きるって」

竹二郎は怒鳴って起き上ると、癖になったように右脚の脛《すね》をさすった。

脚には、おたかが手当してくれた湿布薬をあてているが、痛みはほとんど無い。脚をさすると、備前屋のおそのという娘のことが思い出された。それも娘の生真《きま》面目《じめ》な表情と一緒に、あの日のことが幾らか滑稽味を帯びた記憶となって、竹二郎を擽《くすぐ》るのである。

　八日前のあの日。おそのは店に竹二郎を担ぎ込むと、番頭に売薬の袋を運ばせ、甲斐甲斐しく打ち身の薬を塗って手当てしてくれたのである。番頭も小僧も白い眼をしたが、おそのに知れないようにしながら、竹二郎が凄い眼で睨《にら》んだため、二人は不服そうに口を噤《つぐ》んだままおそのを手伝い、彼女の言いつけで駕籠《かご》まで呼びに行ったのだった。

　駕籠を呼ばれて竹二郎は当惑したが、転げ込むところは伯父《おじ》の家しかなかった。おそのへの関心は、いつもその記憶だけで終る。その先はなかった。いっとき花の下を潜《くぐ》り抜けたような、華やかな記憶が残っただけである。

　とりあえず伯父の家に来たものの、竹二郎にとって、この家は居心地のいい場所ではない。伯母《おば》のおはつは、顔を合わせるたびに、人殺しにでも出会ったように顔色を変えるし、伯父とも近頃は口を利《き》くこともない。

　竹二郎はこの家で育った。だが育てられた恩義よりも、この家ではおはつに苛《いじ》められた記憶の方が強いのである。

　三つの時に両親に死なれて、伯父の勘七に引き取られた。勘七は早死した妹が残したたった一人の子供を不愍《ふびん》がったが、伯母のおはつは、なぜか執拗《しつよう》に竹二郎を苛めた。おたかの下の麻吉が、竹二郎と同年だったことも理由だったようである。もっともそれはかなり大きくなってから気づいたことである。

鮮明なひとつの記憶がある。

勘七はうだつの上らない左官の下職《したしょく》だったが、おはつはその頃から近くの小料理屋に、通《かよ》いの仲居《なかい》で勤めていた。

商売柄おはつは毎晩のように酔って帰った。そして四《し》半刻《はんとき》もすると、大てい近所構わずの喧嘩が始まり、喧嘩になるとおはつは、決り文句のように竹二郎を飯ばっかり喰らう厄介《やっかい》もの、と罵《ののし》った。

その夜竹二郎は、眠っているところを勘七に叩き起こされ、寝巻のまま外に連れ出されたのだった。ひとつ布団《ふとん》に寝ていたおたかが泣き出して、子供とは思えない力で竹二郎にしがみついたが、勘七は気が立っているらしく、おたかを殴りつけた。

「そんなに目障《めざわ》りなら捨ててくらあ」

小柄で骨ばった伯父は、血相を変えていた。

「そのかわりこいつが凍《こご》え死んだら、てめえのせいだぞ、このあま！」

「ああ、捨てておいでよ、遠慮なく。川ん中でもどぶん中でも捨てておいで」

おはつは店から戻ったばかりらしく、ぞろりとした着物を着て、長火鉢の前で莨《たばこ》を吸っていた。化粧の濃い大きな顔に、冷ややかな眼だけ光らせて煙を吐き出すと、紅《べに》を塗った口を歪《ゆが》めて言った。

「厄介ものがいなくなったら、さぞせいせいするだろうさ。なんならお前さんも帰って来なくてていいんだよ」

伯父は凄い勢いで戸を閉め、竹二郎の手を摑んで勢いよく長屋の路地を出たが、町を抜けて籾蔵《もみぐら》の塀につき当り、左に折れて六間堀の岸に出る頃には、足どりはすっかり勢いを失なっていた。

「竹、寒かねえか、よ?」

勘七は着ていた半天《はんてん》を脱いで竹二郎を包むと、大きな嚔《くしやみ》をした。あんまり大きな嚔をするから、お前さんには福が溜《たま》らないんだ、と伯母はいつも憎さげに言うのである。

竹二郎は眠気が覚めた頭でそんなことを考えながら、襲ってくる寒さに歯を鳴らし、犬ころのように伯父に躰を擦《す》りつけた。

「やっぱり帰るか、竹。な、その方がええ」

伯父は力のない声で言うと、もう一度、それで自分がよろけたほど大きな嚔をし、ついでに洟《はな》をすすり上げた。

森閑と凍る町に、伯母が憎む貧乏噓がひびき、伯父の脇の下から見上げた月が、黒い空に銀色の穴を穿《うが》ったように光っていたその夜を、竹二郎はその後長い間忘れることが出来なかった。

竹二郎は二十《はたち》前にもうぐれた。家の中で、ただひとり気が合っていたおたかが嫁に行って、一年ほど経った頃、不意にこの家にいる理由が何もないことに気づいたのである。伯母はことごとく麻吉と竹二郎の扱いを区別し、麻吉は生意気で、伯父はまだ左官の下職《したしょく》で、年中伯母の尻に敷かれていた。

指物師《さしものし》という職も途中で捨て、賭場に出入りし、仲間のならず者の間を泊り歩いて、めったに家に帰ることもなくなった。

たまに帰ると、伯母はそれみたことかと伯父を罵り、竹二郎を罵ったが、あるとき竹二郎がひと暴れして、障子、唐紙を蹴破り、組みついてきた麻吉を露地に放り出したときから、竹二郎に対して漸く口を閉ざした。

いま麻吉は、入江町の兼蔵という大工に住込みで働いていて、家の中は伯父夫婦と、出戻りのおたかの三人だけだった。

泊る場所にあぶれたときなど、竹二郎はいまも伯父の家に来る。だが伯母だけでなく、伯父の勘七も、荒《すさ》んだ空気を身にまとって帰る竹二郎を怖れているようだった。

「いつまでそんな暮しをしているつもりなのさ、おまえ」

飯をよそいながら、おたかが言った。おたかは竹二郎を怖れていない。十歳も年下の弟のように扱った。

「いい加減に足を洗わないと、そのままずーっと行っちゃうことになるよ。いやだねえ、考えただけで寒気がする」

「………………」

「せっかくいい手職《てしょく》があったのに……」

おたかの口調は愚痴っぽくなった。

「性根《しょうね》を入れ替えないと、いまに後戻りが利《き》かなくなるよ」

「よけいなお世話だ」

おかわりの汁椀をつき出しながら、竹二郎は言った。

「そうかい、そうかい」

おたかは汁椀を引ったくると、卓袱《ちゃぶ》台《だい》越しに竹二郎を睨んだ。

「そんなら勝手にするんだね。そのかわりおまえ、ひとの言うことが聞けないんなら、脚が痛いの、尻が痛いのと駈け込んでくるのもやめておくれ」

おたかは手荒く椀を置いた。温《あたた》めなおして塩辛いだけの汁が、卓袱台にこぼれた。

飯が済んで、おたかが台所に片づけに立つと、竹二郎は茶の間の隅にある茶簞笥《ちゃだんす》に忍び寄った。

そろそろ引き揚げどきだった。だがこのまま引き揚げるテはない。乗ってきた駕籠賃は、おたかが自分の内職の金から払った。備前屋で捲き上げた三両は手つかずで残っているが、それは博奕《ばくち》の大切な元手《もとで》である。

簞笥から金になりそうなものを物色《ぶっしょく》するつもりだった。いつもそうしている。だが伯母も、そのあたりの呼吸は心得ているらしく、簞笥の中にはろくなものがない。漸く古びた鼈甲《べっこう》の櫛《くし》と、珊瑚《さんご》の玉がついた簪《かんざし》を見つけて懐《ふところ》にしまった。

振向くと敷居際《しきいぎわ》におたかが立っている。

「戻しな、いま盗《と》ったものを」

「ま、いいじゃないか。大したものじゃねえ」

「なんだい、その人を舐《な》めた笑い方は。戻さないと……」

おたかは飛びかかってきた。

「この泥棒！　ろくでなし」

「よしなよ、姉ちゃんよ」

二つ、三つ頬や頭を張られたが、痛くはなかった。腕をつかまえ、暴れる躰《からだ》に重ねるようにして押さえつけると、おたかの小柄な躰はずるずると竹二郎の懐に入ってきて、すっぽり抱かれた恰好《かっこう》になってしまった。

「いい年増《としま》が、餓鬼《がき》のように腕振り廻して。みっともねえったらありゃしねえ」

「いいから離しな、この馬鹿」

おたかはうろたえたように身をよじった。おたかの顔は、長身の竹二郎の胸もとまでしかない。腕を押さえられているために、顔は竹二郎の胸にぴったりくっついて、その顔が怒りと羞恥で赤らんでいる。思いがけなく生々《なまなま》しい女の顔を竹二郎は見てしまった。

「暴れなきゃ、離してやるさ」

竹二郎は低い声で言ったが、心は離れようともがくおたかの胸の膨《ふく》らみ、張った腰の感触に奪われている。その感触が、遠い記憶を呼び起していた。

竹二郎は十二だった。

その頃おたかは、神田橘町の小間物《こまもの》問屋に住込みの女中奉公をしていたが、あるとき一日の暇をもらって帰ってきた。

夜になって寝る時になると、おたかは、

「竹ちゃんおいで。久しぶりに姉ちゃん抱いて寝るわ」

と言った。

二年前に見習い奉公に出るまで、おたかは竹二郎とひとつ布団に寝ていたのである。だがその夜、十二の竹二郎はいやがって逃げ廻ったが、おたかはつかまえると無理やり自分の布団に引き入れてしまった。そのくせおたかは疲れているらしく、店の話をしながらしきりに欠伸《あくび》をし、竹二郎よりさきに、寝息をたてて眠ってしまったのだ。

竹二郎の手が、おたかの下腹を探ったのは好奇心だけであった。おたかの躰は、どこもかしこも柔らかく滑《なめ》らかで、二年前にはなかったいい匂いがした。

だが、竹二郎の手はやがて強く抓《つね》りあげられていた。異様に秘密めいた感触の部分に触れて昂《たか》ぶっていた気分が、一ぺんにしぼんで、竹二郎は罪を犯した後のように息を殺して眼をつむったが、その躰は不意に荒々しくおたかの手に引き寄せられていた。

闇の中で、息がつまるほど抱きしめられた竹二郎は、やがて異常に熱いおたかの躰が、帯紐《おびひも》を解いて裸なのに気づいたのだった。

そのときの記憶が、不意に竹二郎の動作を荒々しくした。「やめなってば、竹ちゃん」おたかは声をひそめて叱り、体重をかけて竹二郎の腕の中から遁《のが》れようとしたが、その躰は逆に、竹二郎の腕に軽々と持ち上げられていた。

「ひとが来るのに、竹ちゃんたら」

ついにおたかは哀願するように言った。

「構うもんか」

竹二郎が言った。その声が異様にかすれたのを聞くと、竹二郎の腕に運ばれながら、おたかの躰は、みるみる力を失なった。

格子窓《こうしまど》から射し込む暗い光の中で、慌《あわただ》しい時間が過ぎ、やがてものの気配が死んだ。

「世帯《しょたい》をもつつもりもないのに、こんなことをして」

竹二郎の躰が離れると、おたかはふっと眼を開いてそう呟《つぶや》いたが、その眼はすぐに力なく閉じられた。

乱れた髪、少し削《そ》げた頬、開いた裾からのぞいている青白い太腿が、希望もない出戻りの年増だった。

しばらくして竹二郎がぽつりと言った。

「姉ちゃんの亭主ってえのは、姉ちゃんを可愛がってくれたのかい」

「え？　何だい。いやらしいね」

おたかは眼をつむったまま、もの憂《う》そうに言った。

「それに、もう姉ちゃんなんて言わないでおくれ。人をこけにして、姉ちゃんはないだろ」

「そいつは違うぜ」

抱かれて、はじめぎごちなく戸惑うようだったおたかが、やがてひとりの女に変り、ひたむきに燃え、のぼりつめて行ったのが哀れで、竹二郎の気持はひどく優しくなっていた。

「俺は姉ちゃんが好きなのさ。この家だってよ、姉ちゃんがいなかったら来やしねえぜ」

「そんなうまいこと言って」

おたかはのろのろと起上り、布団の上に横坐りになると、手を上げて髪をなおした。

その時入口に人声がした。

「言わないこっちゃない」

おたかは呟くと、すばやく身繕《みづくろ》いして立って行ったが、やがて荒っぽい足どりで奥の部屋に戻ってきた。

「おまえの友達だってさ」

「誰だい」

「知るもんかね、名前なんか。どうせろくでなしだろ」

竹二郎が出ると、鍬蔵《くわぞう》が立っていた。鍬蔵は小柄で貧相な顔をしている。

「どうしたい」

「兄貴が呼んでるぜ。ずいぶん探した」

と鍬蔵はそっけなく言い、奥をのぞくようなしぐさをした。頰が削《そ》げ、凹《くぼ》んだ眼をしていつも青白い顔をしているが、この中年男は、刃物を持たせると凶暴で無慈悲な働きをする。

「よし、すぐに出よう」

竹二郎は言い、土間から「またくるぜ、姉ちゃん」と言った。

「もう来なくていいよ。おまえが来るとろくなことがない」

台所の方で、おたかが威勢よく怒鳴る声がした。

三

八名川町と武家屋敷の間を抜け、籾蔵《もみぐら》に突き当って左に曲り、川端に出ると、鍬蔵は立止って「小便して行こう」と、竹二郎を誘った。

川に背を向け、籾蔵屋敷の黒板塀に向って放尿しながら、鍬蔵は、

「兄貴が怒ってるぜ、姿を消して音沙汰もねえってな」

と言った。

「足を痛めて寝てたんだ。兄貴には会って詫びするさ」

と竹二郎は言った。塀の下から路まで這い出した草が枯色をしている。塀のひと所《ところ》が破れているらしく、そこから薄《すすき》の白い穂が三、四本つき出して、秋めいた日の光を弾《はじ》いている。

七ツ時《どき》の川端通りは、二つ、三つ人影が動いているだけで、路は眩《まぶ》しいほど白かった。

「それじゃ、すぐに兄貴のとこへ行くか」

と竹二郎は言った。

「待ちな、その前に寄るところがある」

「何か用があるのかい」

「ひと仕事して行く。おめえを、ただ探しに行ったわけじゃねえ。一緒に行ってもらうぜ」

「どこへ行くんだよ」

「なに、すぐそこだ。ところで……」

鍬蔵はそっ気ない、陰気な声で言った。

「あの女は、おめえの情婦《いろ》かい」

「誰のことだい」

「さっきの家にいた女のことだ」

「ありゃ伯父の娘だ」

「おめえの情婦《いろ》かと聞いているぜ」

鍬蔵は足どりをゆるめず、真直《まっすぐ》前をみたまま無表情に言った。

「そんなんじゃねえ」

「そうかい。それならいいんだ」

鍬蔵は言った。

「ありゃいい女だぜ。躰がいい。情《じょう》がありそうだ」

「そうでもねえぜ。出戻りのくせして、とんだじゃじゃ馬だ」

竹二郎は言ったが、おたかをひと目みただけでそんなことを言う鍬蔵が無気味だった。

鍬蔵の言葉が、不意に子供の頃を思い出させていた。おたかは、どういうものか、弟の麻吉よりも竹二郎の方を可愛がった。ことに母の竹二郎に対する仕打ちが理解できる年頃になると、はっきり竹二郎をかばい、寒い冬の夜は竹二郎を、小さな躰でくるむように抱いて眠った。

おたかは、橘町の商家に見習奉公に出るとき、竹二郎と別れるのが辛《つら》いと言って泣き、おはつに叱られたのだった。

「ここだ」

と鍬蔵が言った。細川能登守《のとのかみ》下屋敷《しもやしき》に沿って、行徳街道から左に折れ、屋敷の塀に沿って右に曲って、深川富川町に入ったときだった。

二人は、結城屋《ゆうきや》という太物屋《ふとものや》の前に立っていた。

「待ってな」

鍬蔵は言うと、暖簾《のれん》を分けて店の中に入って行った。

竹二郎は店の前で、じろじろと通行人を眺めながら立っていたが、鍬蔵はすぐに出てきた。店の中から網で掬《すく》ってきたように、若い男をひとり連れている。

鍬蔵は若い男の腰をつついてから、竹二郎にむかって、

「行くか」

と言った。

一緒に歩きながら、竹二郎はじろじろと若い男をみた。男は竹二郎と似た年配で、つるりと磨《みが》いたような顔をしている。それでいて顔色は冴えなく、青々とした髭《ひげ》の剃《そ》り痕《あと》が、よけいに顔色を青白くしていた。肥《ふと》り気味で、丈《たけ》も竹二郎ほどある。

竹二郎は、その男を一度どこかで見かけたことがあるような気がしたが、記憶は曖《あい》昧《まい》だった。男は竹二郎に見られているのが解っているのかどうか、俯《うつむ》いて足もとを見ながら歩いている。風采に似合わずひどく無気力な感じだった。

男たちは、無言のまま横川べりに出て、猿江橋を渡った。

「どこまで行くんですか」

男が怯《おび》えたように声を出したのは、橋を渡って、川船番所の前を通り過ぎた時だった。

「そうだな、ここいらでいいかな」

鍬蔵は呟いて立止ると、男を川べりに連れて行った。澄んだ日射しが、小名木川の水を照らし、新高橋の橋下の水面がきらきら耀《かがや》いている。

川波が光っているのはそこだけで、中川まで真直通した下流は、遠くに行くほど蒼《あお》く空の色を映し、大島町の端《はず》れあたりとみえるところに小舟が一艘《そう》見えるだけである。

左手に武家屋敷の塀があり、行手に五本松の巨大な枝のひろがりが道にかぶさっているが、行徳街道の人通りはまばらで、川べりに立つ三人を怪しむ者もいなかった。

「お忙がしいご商売の邪魔をして、申しわけござんせん」

鍬蔵は丁寧な口調で言った。

「若旦那はどうしなすったと、兄貴が気にしているものだから」

「…………」

「仮りにも結城屋という老舗《しにせ》の若旦那だ。夜逃げもなさるめえって、あっしがなだめておいたんですがね。何分にも若旦那には莫大な貸しが溜《たま》っている。兄貴も気が揉めるのよ」

男はちらりと顔を挙げて鍬蔵をみた。

「まさかあんた、忘れたわけじゃあるめえな」

不意に鍬蔵の口調はぞんざいに変った。男はその口調に驚いたようにまた顔を挙げ、鍬蔵と竹二郎の間に落ちつかない視線を迷わせたが、その顔はすぐに力なく伏せられた。

「黙ってちゃ解らねえな。若旦那」

鍬蔵の眼は光り、低いが十分にドスの利《き》いた声になっている。

「はっきりしてもらうぜ、賭場のつき合いはもうご免だというんなら、これまでの貸しはきれいにしてもらわなくちゃならねえ。こりゃ誰が考えたって、あたりめえの話だろ」

「…………」

「借りはそのままだ、賭場はもう嫌いだ、で鼬《いたち》の道ってえのは、世の中それじゃ通らねえぜ。それぐらいの道理は、子供だって知ってら」

「しかし、あんた方は……」

若旦那と呼ばれた男が、青ざめた顔を挙げて決心したように口をはさんだ。

「この前、あたしを手目《てめし》に掛けたじゃないか。あたしが欺《だま》されて知らないと思ってるんですか」

「保太郎さん」

鍬蔵は優しい声で呼んだ。

「あんたなア、俺の前だからよかった。な、そんなことを兄貴の前で言ってみなよ。半殺しのもんだぜ、ほんと」

「…………」

「そんな恐しいことを口にするもんじゃねえって。あんたを手目《てめし》にかけた？　馬鹿言っちゃいけねえや。大事な賭場の客だ。それも昨日《きのう》、今日《きょう》のつき合いじゃあるめえし。そりゃあんたの思い過しよ」

「…………」

「大負けに負けると、誰しもそんな風に悪く勘ぐりたくなるもんさ、うん。その気持は解る。解るから、兄貴もなあーんにも無理なことは言ってねえ。貸しのことなんざ、これっぽちも言ってねえぜ。ただまたいらっしゃいというわけだ。今度は儲けさして上げましょうと、な、な」

「しかし賭場に行くにも、あたしは金を持ってないんだ。親父はすっかりうるさくなっているし」

「品物を少し流しゃ金なんざ、すぐ出来るじゃねえか。いや無理しなくともいいんだ、保太郎さん。少しぐらいの遊び金は貸すって、兄貴は言ってなさる。有難《ありがて》え話じやねえか。兄貴は、つまりはあんたという馴染みのお客さんが顔をみせねえと淋しいのよ」

「…………」

「そうまでしてもらってだな、それでももう賭け事とは縁を切ると言うんなら、ここから引返して、親父さんから貸しを取立てるが、それでもいいのかい」

とどめを刺すように、鍬蔵は言った。

大柄な肩をすぼめるようにして、保太郎が猿江橋を渡って行くのを、二人は黙って見送った。

「意気地のねえ野郎だぜ」

と竹二郎が言った。

「いい鴨だ。しかし、もちっと肥らせないとな」

と鍬蔵が言った。

四

善九郎が、保太郎を手目《てめし》にかけているのが、竹二郎には解った。

中盆に坐っているのは鍬蔵で、壺振りは四十過ぎの、竹二郎の見たことのない男だった。善九郎は盆から少し離れたところで、時々盆の様子を眺めながら莨《たばこ》を喫っている。善九郎は自分では勝負をしない。テラ銭をとり、負けが込んだ者に、金を融通するだけである。

もう明け方近い筈だったが、北松代町表町続きの永井飛騨守下屋敷うち、足軽長屋の一角。襖《ふすま》を取りはずして十二畳に拵《こしら》えた賭場には、まだ夜の光が立ち籠《こ》めている。集っている人数は十人程だったが、どれも商家の旦那風の身装《みなり》の良い男達である。保太郎のように、眼を血走らせている者はほかにもいたが、座はほとんど無言だった。無言の中で驚くほどの大金が賭けられていた。

壺振りが、また微妙な壺の上げ方をしたのを竹二郎は見た。壺振りのその動きは、保太郎が負けはじめた時から始まっている。毛返しを使っているな、と竹二郎はみている。毛返しは壺の中に髪の毛を仕掛けてある。その毛で、賽《さい》を瞬間に転がし、壺の中で丁《ちょう》、半《はん》を作るのである。鋭い眼とそれをさらに補う勘と、仕掛けをさとらせない腕が必要だった。

四十男の壺振りは、面白くもない顔で、それを鮮やかにやってのけていた。

保太郎は勝負の中にのめり込んでいた。負けはじめてから、漸くその夜の勝負が面白くなったような感じだった。すでに善九郎から二百両借りている。

小名木川の岸で鍬蔵に嚇《おど》かされてから、ひと月余り経っている。その間に、保太郎は二度この賭場に顔を出し、二度とも幾らか前の負けを取返している。今夜が三度目だった。

最後の賭け金を擦《す》ると、保太郎は不意に立上った。少しふらついたが、善九郎の前にきて坐ると、

「善九郎さん、もうこれだけ頼みますよ」

と言って、指を二本立てた。保太郎の眼は赤く充血して、左眼は下瞼《したまぶた》まで腫《ふく》れ上っている。それでいて、いつもは青白い頬が桃いろに上気《じょうき》して、いきいきと光っている。

善九郎は煙管《きせる》を口から離して、灰ふきに音を立てながら、保太郎をみてにやにや笑った。善九郎のその笑いほど得体が知れないものはない。

善九郎はこの下屋敷で中間頭《ちゅうげんがしら》を勤めている。だが夜になると歴《れっき》とした胴元《どうもと》だった。ほかの中間、小者から門番まで、そのことを知らない者はいないが、それをとやかく言う者は誰もいない。善九郎からふだん洩れなく小遣いをもらっているし、何よりも男達自身が時おり加わる博奕に夢中だったからである。

善九郎は三十半ばになっているが、まだ独り身だった。賭場の客に金を融通し、次第に金がたまると、手を回してひそかに上質の客を呼び、一勝負何百両という金が動く派手な賭場も開くようになっている。

金と女だけが好きな、冷酷な男だった。竹二郎は、賭場の借金を返せなくなった深川西町の薬種屋《やくしゆや》を、家族もろとも家から叩き出すのを手伝ったことがある。どこで雇ったのか、竹二郎が顔をみたこともないような兇悪な人相をした連中が、手馴れたふうにてきぱきとその仕事をすすめていた。主人はともかく、まだ若い女房と小さな子供たちが泣き叫ぶのが哀れだったが、その時も善九郎は声を立てない笑いを反芻《はんすう》するように、幾度も唇に上らせてみていたのである。

「竹、若旦那にお茶を運んでくれ」

善九郎は、入口のそばに坐って見張り役をしている竹二郎に言うと、立上って、

「若旦那、こちらへ」

と言った。

善九郎は、賭場を開く夜は必らず竹二郎か、いま盆についている幸助という男を入口に配り、時々外を覗かせるのである。用心深い男だった。

善九郎が保太郎を引き入れた三畳に、竹二郎が茶を運んで行くと、善九郎は、入口

はもういいからここにいろ、と言った。仄暗《ほのぐら》い行燈《あんどん》の光が漂っている部屋の入口に、竹二郎は番犬のように蹲《うずくま》った。暗く狭い三畳は、負けた客に因果を含めたり、借金の返済を迫ったりする場所なのである。

「二百などという金は、もうお貸しできません」

と善九郎は言った。冷ややかな眼が、罠《わな》にかかった獲物をみるように、残忍に光っている。

保太郎の顔色は褪《さ》めて、青白くむくみ、眼だけが惨《みじ》めに赤い。

「もうひと息なんだ、善九郎さん。ひと息でつきがこっちにまわってくるのがあたしには解ってる」

血走った眼を挙げて、保太郎は言った。

「ここで断わられちゃ、あたしは立つ瀬がない。このままじゃ帰れませんよ。ここで首を吊らせてもらいます」

善九郎はにやにや笑いながら、ゆっくり首を振った。

「若旦那、嚇《おど》かさないでくださいよ。もうおやめになった方がいい。あたしはずーっとみていたが、今夜はあんたついていなかった。どんどんつきが離れるばかりでね。だからおやめなさいと言ってるんです」

善九郎は立上ると、隅に置いてある手文庫から、算盤《そろばん》と帳面を持ってきた。

膝の上に帳面をひろげると、善九郎は商人のように器用な指で算盤を入れた。

「今日までの貸しが五百四十両、こうです。それにあなた三月《みつき》もほったらかしだから、その間の利息が四十両二分。〆《しめ》て五百八十両二分。五百四十両のうち二百六十両は、その前の月からのもので、これの日に均《なら》した利息が十四両加算されます。これで五百九十四両二分、これだけになっている」

善九郎は算盤をつき出してみせたが、保太郎はそれを見なかった。眼を瞠《みは》って善九郎の顔を見つめているだけである。

「これに今夜用立てした二百両を加えると、こうですよ、七百九十四両と二分。もう大金ですな。ここらがあたしの限度で、これ以上はちょっとお貸しするわけに参りません」

「…………」

「そこでご相談です。元はともかく、このあたりで利息だけでも頂かないとね。どうしてくれます？」

「三月で利息が五十四両だなんて……」

保太郎は眼を瞠ったまま呟いた。

「まるで高利貸しだ」

「五十四両二分ですよ、若旦那。それも前月からのを加算してね」

「そんな高い利息があるもんか」

「冗談じゃありませんよ、若旦那。十両一分は相場ですぜ。いまどき二十五両一分なんてことは通りません。あたしは人並みに頂くだけで、高利貸し扱いは困りますな。ところで、その利息だが、どうしてくれます？」

「あたしには、そんな金はない」

「そう開き直られても、こちらは困るんだが。結城屋の若旦那が、五、六十両の金が何とかならないもんですかね」

「そんなことを言うけど、あたしはこのところ親父に睨まれているんだ。店の金を持ち出したりすればすぐに勘当《かんどう》になる」

「じゃこうしようか、保太郎さん」

善九郎の声は優しくなった。

「元金は、ここに証文も預ってることだ、ゆるゆる頂くとして、利息の方だが……」

「…………」

「あんたの女の方から引き出せないもんですかね」

「女？　誰のことを言ってるんですか」

「あんたの許嫁《いいなずけ》だよ。名前までは知りませんがね」

「何でそんなことを知ってるんだ、あんた」

保太郎は激しく眼を瞬《まばた》いたが、その表情には恐怖のいろがあった。

「あんたのことは、大概調べてありますよ」

善九郎は冷たく言った。

「やめてくれ、あの人が、そんな大金をどうできるというんです？　第一これはあの人には係わりがない」

「係わりはあるよ、若旦那。来春には祝言《しゅうげん》を挙げようというひとだ。係わりなくはないさ。それに近頃よく会ってるようじゃないですか」

「…………」

「そうだなア……」

善九郎は高い腕組みの上から、保太郎の青ざめた顔をにやにや笑いながら見下した。

「ほかに手がなけりゃ、どうです？　あの人の躰で払ってもらってもいいですがね」

「やめてくれ」

保太郎は顔をひき攣《つ》らせて立上ろうとしたが、竹二郎が後から肩を押えて坐らせた。

「そんなことはさせない」

「あたしだって、そんなことはしたくないさ。五十四両二分と引換えなんてことは気がすすみませんよ。高い買物だ」

「もうその話は、いい加減にしてくれ、善九郎さん」

「いいですよ、ほかに手があるならうかがいましょ」

「五十両でいい。ひと勝負させてくれ、な、善九郎さん、頼む」

善九郎の女のように白い顔が不機嫌に笑いを引込めた。荒々しく行燈《あんどん》を引き寄せると、ふっと火を吹き消した。

青白い朝の光が格子窓《こうしまど》から射し込み、膝を摑み、悄然《しょうぜん》と肩をすくめた保太郎を浮び上らせた。それは蜘蛛《くも》の巣に引っかかって、ひとしきり足掻《あが》いたあと、諦めて死を待っている虫のようにみえた。

奥の方は、すでに人の気配もなくひっそりしている。丁半を争っていた人数は、とっくに引揚げたようだった。その静けさの中に、善九郎の酷薄な声が響いた。

「夜が明けたのも解らんようになったらしい。おい竹、このしようもない若旦那を、家までお送りしろ。途中で身投げでもされると困る」

五

「おい」

鍬蔵《くわぞう》が尻をつついた。

「あれは、おめえんとこのナニじゃねえか」

竹二郎が鍬蔵の視線を追って振返ると、後五、六間《けん》のところを、浮かない顔で歩いて来る女がおたかだった。

材木蔵の横を通って寺の角を曲り、土井大炊頭《おおいのかみ》下屋敷の長塀と、猿江町の間から行徳街道に出て間もなくである。

すぐそばまで来て、おたかは漸く竹二郎に気づいたようだった。

「おや、竹二郎じゃないか」

「なんだい、その恰好は」

おたかは旅支度をしていた。褄《つま》をたくし上げ、手甲《てっこう》、脚絆《きゃはん》をつけて、姉さん被《かぶ》りに髪を手拭いで包んでいる。

おたかは、前よりも頬に肉がつき、少し肥ったようにみえた。歩いてきたためだろうか、浅黒いが肌理《きめ》の細かい額から頬のあたりに、うっすらと汗が光っている。

この前のことが、咄嗟《とつさ》に頭に浮び、竹二郎はバツ悪く眼を逸《そ》らした。

「日和《ひより》がいいんで、どっかお詣りかい」

「そんなのんきなんじゃやないよ」

おたかはそっけなく言ったが、ちらと鍬蔵の方をみて、

「話があるけど、少しいいかい」

と言った。

鍬蔵に合図してから、竹二郎がうなずくと、おたかは竹二郎を川べりに誘った。

「嫁に行くことにしたよ」

おたかは前置きもなく言った。

思いがけなく重い衝撃が、竹二郎の内部にあった。いきなり襲ってきて、次第に気分を滅入《めい》らせるような、その衝撃に、遠い記憶がある。

おたかは十九の年に、芝の経師屋《きようじや》に嫁に行ったが、その話が決ったとき、竹二郎を物陰に呼んで、やはり「嫁に行くよ」と告げたのだった。その時竹二郎は何も答えられなかったのである。ただ荒々しく血が騒ぎ、その底に怒りがあった。怒りはおたか

にむけられていた。そして怒りが鎮《しず》まったあとに虚しさがやって来、それは長く続いたのだった。

短い沈黙の後で、竹二郎は低い声で言った。

「そりゃ結構じゃないか。いつまでも出戻りじゃしようがねえものな」

「………………」

「それで、今日はどこへ行ったんだい」

「嫁入先をみてきたのさ」

おたかは川面に眼を逸らして、やはり浮かない表情をした。

「それが金ケ谷の在《ざい》でね。お寺の後妻なんだよ」

「お寺の後妻だって？　で、坊主に会って来たのかい」

「ああ、会って来たよ」

「どんな奴だ。どうせろくな奴じゃねえだろ？」

「四十ぐらいの大きな男でね。女好きみたいであまり気が進まなかったけど。帰りがけに手を握られたもの」

「手エ握られた？」

竹二郎は、火傷《やけど》したような表情になって言った。

「手エ握られて黙ってたのかい、馬鹿だな」

「黙ってたわけじゃないよ」

「それだけかい」

「それだけ？　あたりまえだよ、何をくだらないことを考えてるんだね」

おたかは顔を赤くした。するとおたかの顔に、不意に生々《なまなま》しい女臭さが滲み出て、竹二郎を息苦しくした。薄暗い格子窓の光に、ひととき喘《あえ》ぎを高めた胸の膨《ふく》らみを、竹二郎は躰のどこかが痛むような感覚の中で思い出していた。

「やめなよ、姉ちゃん」

竹二郎は叱りつけるような口調になった。

「なにも、そんな遠い川向うの田舎《いなか》に行くことはねえだろう。後妻の口なら、もっといいところがありそうなものじゃねえか」

「そうも行かないのよ、竹ちゃん」

おたかは、疲れたように蹲《うずくま》った。

「麻吉の嫁が決ってね。あの家にいつまでいるわけにもいかないんだよ」

「…………」

「田舎のお寺だけど、子供がいないしね」

おたかはぼんやりした口調で言ったが、不意に袂《たもと》で顔を押えた。

「ぜいたくは言えないよ」

道端で、立ったまま莨《たばこ》を喫っていた鍬蔵が「おい」と声をかけて、煙管《きせる》をしまった。

手を挙げて鍬蔵に応えながら、竹二郎は早口に言った。

「そいつは考え直した方がいいぜ。気にいらねえや。ま、どっちみちいそがねえ方がいいな。そのうち俺も一度顔を出すから」

「おまえが来たって、どうにもならないよ」

おたかは顔を挙げて微笑した。包むような温い笑顔だった。眼の縁が赤くなっている。

「幾つになっても、何をやってんだか、わけわかりゃしない」

おたかは、よいしょと呟いて立上り、ちらと鍬蔵をみて言った。

「あんなのと早く手を切らないといけないよ。そうでないとおまえ、いまにひどい目に会うよ」

おたかと別れると、竹二郎と鍬蔵は無言で道をいそいだ。

「だいぶ長《なげ》え話だったじゃないか」

やがて鍬蔵が探《さぐ》るように言った。

「わけがありそうだな」

「…………」

「色っぽい年増だが、泣いてたじゃねえか。面倒があるんなら、相談にのるぜ」

「内輪《うちわ》の話だ」

竹二郎は険悪な表情で鍬蔵を振向いた。荒々しい、やはり怒りとしか言いようのないものが躰の中で荒れている。

「馬鹿な女でよ、くだらねえ愚痴をこぼしやがる。人手を借りるような話じゃねえや」

それをどう受取ったのか、鍬蔵は薄笑いを浮べた。

結城屋の前まで行くと、鍬蔵はまた「ここで待ってな」と言った。

間もなく鍬蔵は、また網で掬《すく》い出したように保太郎ひとりを外に連れ出してきた。

日暮れ近い光が町を覆い、道は斜めに通りに射し込む日に赫々と染まっていたが、軒下や路地にはすでに蒼白い翳《かげ》が漂いはじめている。人通りが混んでいて、店先に立つ三人の姿は目立たなかった。

「決めたか」

と鍬蔵が言った。

「どうしても待ってはもらえないんですか」

と保太郎は囁《ささや》くように言った。保太郎の顔は、長い間日にあたらなかった人間のように、青白く浮腫《むく》んでいる。その顔の奥から怯《おび》えた眼が鍬蔵と竹二郎の表情を交互に探っている。

「まだこんなことを言ってるぜ、この男は」

竹二郎は、刺すような眼を保太郎の顔につきつけて行った。

「若旦那、今日はどうしましょうと相談にきたわけじゃありませんぜ。返事を聞きに来たんだ、返事を」

「大きな声を出さないで下さい。人がみる」

保太郎は、おどおどと人通りをみ、店先を振向いた。

「竹ちゃんよ、そう恐い顔しなさんな」

竹二郎をなだめると、鍬蔵が優しい声で言った。

「そりゃ若旦那にとっちゃ辛《つら》い話さ、な。だがよ、兄貴はこれ以上は待てねえと言っていなさる」

「だけど、どう考えたってあの人がかわいそうだ」

「そりゃもっともだ若旦那」

鍬蔵はせせら笑った。

「だから兄貴も無理なことは言ってねえ。利息を頂けばそれで結構だと」

「…………」

「まさかどっちも待ってくれろ、などと人を舐《な》めたことをおっしゃるんじゃねえでしような」

「…………」

「はっきりしな」

鍬蔵の眼の中を一瞬走り抜けた、狂暴な光を保太郎は見落さなかったようである。

竦《すく》み上った表情になった。

「二十三日の七ツ半に五百羅漢寺の、栄螺《さざえ》堂裏に」

「よし、わかった」

鍬蔵は短く言って、にやりと笑った。

「何だよう、若旦那、よく解ってんじゃねえか、あんた」

「断わっておくが、あたしはただその日そこへ連れて行くだけだからな」

「解ってるって、心配しなさんな。あとは兄貴にまかせとけばいいのよ」

六

保太郎が若い女を連れて来、半刻後《はんとき》にひとりで総門を出て行くのを、三人は門前の茶屋の中から見ていた。

「どれ、ぼつぼつ行くか」

善九郎が盃を置くと、竹二郎と鍬蔵も立上った。

薄雲の隙間《すきま》から、心もとなく洩れる日射しの下を、追われるような足どりで、保太郎の姿が遠ざかるのを、竹二郎は見送った。保太郎の後姿は、榊原式部大輔下屋敷の長い塀脇を、脇目もふらず急ぎ、やがて下大島町と司町の間に動いている人混みの中に消えた。

どう言いくるめたものか、若い女が門を出てくる気配はない。

茶屋の脇に駕籠《かご》が停めてあり、駕籠舁《か》きが遠慮がちに善九郎に振舞われた酒を飲んでいる。あとは急病人のふりをして、女を茶屋まで担いでくるだけであった。

総門の前で、中から出てきた商人風の男二人に出会っただけである。うすら寒い空模様と日暮近い時刻のせいで、境内《けいだい》の中にも人影は見えなかった。方丈の裏で焚火をしているらしく、白っぽい煙が屋根の上まで上り、きな臭い匂いが流れてくる。

三人は無言で栄螺《さざえ》堂裏に進んだ。栄螺堂と呼ぶのは俗称で、三匝堂《さんさいどう》が本来の呼び方である。上層、中層、下層と三繞《めぐ》りする間に、西国、坂東、秩父の札所《ふだしよ》合わせて百ヵ所を巡礼出来るというので、日頃参詣の人が絶えない建物である。そこにも人影を見なかった。

裏に廻ったとき、不意に木陰の暗さが三人を包んだ。その仄暗《ほのぐら》い光の中に、立上ってこちらを振向いた女の姿が見えた。栄螺堂と西羅漢堂の間に、小さな池があり、女はそれまで池のそばに蹲《うずくま》っていたようだった。

娘の顔をみて、竹二郎の足が停《とま》った。いきなり胸を一撃されたような、重い衝撃があった。娘は細かい絣《かすり》の着物を着て、手に巾着《きんちゃく》を下げ、いくらか様子が変ったようにみえたが、履物商備前屋のおそのに間違いなかった。

おそのは竹二郎の顔を憶えていないらしく、三人の姿をみると怯《おび》えた表情になり、さりげなく歩き出そうとしていた。

「おっとお嬢さん、そこを動いてもらっちゃ困るんだがなあ」

善九郎はにやにや笑いながら言うと、鍬蔵と竹二郎に「やれ」と鋭く言った。

鍬蔵が出ようとした時、竹二郎が前に出て立ちはだかった。

「何をしやがる」

鍬蔵が低く唸《うな》った。

竹二郎は、それには答えずに、善九郎にむかって叫んだ。

「これは何かの間違いだ。兄貴。この人じゃねえぜ」

「その女さ、何を血迷っていやがる」

善九郎はやはり笑いながら言った。

「教えてやろうか。その女は清住町の備前屋の娘でな、おそのという名前だ。それぐらいのことは先刻調べてある。おい、動くなと言ったぜ」

おしまいの恫《おどか》しは、おそのに向けた言葉だった。

おそのは唇のいろまで白くして立ち竦《すく》んでいる。眼が瞬《まばた》きを忘れてみひらかれ、その手から巾着が足もとに落ちた。

竹二郎は、今度はおそのに走り寄るとその前に手をひろげて庇《かば》った。

「このひとには義理がある」

竹二郎は青ざめた顔で言った。

「兄貴、今度だけは見逭《みのが》してくんねえ」

「どうするね、鍬さん」

善九郎はうす笑いを浮べて言ったが、鍬蔵が答えないで腕組みをしたのをみると、不意に不機嫌な表情になった。

「竹、どきな」

「…………」

「おや、おめえ俺を睨んだりして本気のつもりかい。いい加減にするんだな。おめえの義理ってえのは、そのぐれえで済んだんじゃねえかい」

「兄貴、お願えだ。かわりにどっかの娘を盗み出して来いっていうなら、俺はそうする。だが、このひとだけは勘弁してくれ」

「竹よ」

善九郎の顔に、また無気味なうす笑いが戻った。

「俺に逆《さか》らった奴が、どうなったか、おめえが一番よく知っている筈だぜ」

竹二郎は、総身に顫《ふる》えが来るのが解った。恐怖は口の中まで入り込み、歯が鳴った。竹二郎は、眼を善九郎に据《す》えたまま、後のおそのに向って囁いた。

「いいかね。お嬢さん。はじまったら、あとは構わずに逃げてくんねえ。茶屋の脇に駕籠屋がいる。金をはずんで、家まで送ってもらうんだ」

「…………」

「解ったかい。金をはずまなきゃ駄目だぜ」

「こいつは驚いた。竹は俺とやる気だぜ」

善九郎が冷やかすように言った。

「兄貴がどうしても止《や》めねえというんなら、仕方ねえ。手むかうぜ」

「そうかい。いい度胸だ」

「…………」

「手加減はしねえよ」

善九郎はゆっくり近づいてきた。善九郎の顔はまだ薄笑いを刻んでいるが、手はもう匕首《あいくち》を握っている。竹二郎の眼はいそがしく地を這ったが、池の岸には枯れた苔《こけ》が土を覆い隠しているだけで、手頃な石も落ちていない。

「ちょっと待ってくれ」

不意に鍬蔵が声をかけた。

だが鍬蔵はとめに入ったのではなかった。立っている位置から、無造作に鞘《さや》のままの匕首を竹二郎に投げただけである。

「こうしねえと不公平だ」

善九郎の足が止《とま》り、立ち止ると躰を捩《ねじ》って鍬蔵をじっとみた。無気味な笑顔のまま、善九郎は鍬蔵のそばまで戻ると、躍り上るように躰をはずませて鍬蔵を殴った。頬が鳴る激しい音がし、小柄な躰は、左右に大きく傾いたが、鍬蔵は両足を踏みしめて踏みとどまった。

竹二郎を振返ったとき、善九郎の表情は一変していた。生っ白く大ぶりな顔から、拭《ふ》きとったように笑いが消えている。眼は細められて、射竦《いすく》めるように竹二郎の眼に吸いつき、唇は冷酷に歪《ゆが》んでいる。

竹二郎の背後の空気が動いた。善九郎の顔に怯えたおそのが走り出したのである。それを阻もうとして踏み出した善九郎の前に、竹二郎はすばやく動いて匕首を低く構えた。

善九郎が唇を歪めて、何か低く呟いた。次の瞬間善九郎の躰は、滑るように竹二郎に近づき、匕首が繰り出されていた。のけぞってその一撃を躱《かわ》したが、善九郎は間を置かずに二撃、三撃を加えてくる。

躱すのが精一杯だった。善九郎は武術の心得があるらしく、一定の間合いから踏み込んでくる。その間合いでは、こちらの匕首がとどかないのを竹二郎は感じていた。

殺《や》られる！

善九郎の匕首が、袖の先を切り落し、いま大きく胸前を斬り裂いたのを感じながら、竹二郎は絶望的に思った。
腕に鋭い痛みを感じた。危うく避けて横に飛んだとき、今度は右の頬を冷たい感触
が走り抜けた。善九郎の匕首は、肉にとどきはじめている。
　相手が構えた匕首に躰をぶつけるように、竹二郎は飛び込んで匕首を突き出した
が、善九郎は軽くよけて、空《くう》を斬って伸びた竹二郎の肩をまた浅く斬った。右に左
に、軽捷《けいしょう》な野生の獣のように動き回る善九郎の影を追って、竹二郎は滅茶苦茶に匕首
を振回してみたが、刃先は何も把《とら》えなかった。
　全身が襤褸《ぼろ》のように刻まれて行くのを、竹二郎は感じていた。逃げたおそのこと
は、とっくに念頭にない。それはもうどうでもよかった。まだ一矢《いっし》も報いることを許
さない、巧妙な眼の前の敵に対する憎悪が、竹二郎の内部で炎をあげている。
　善九郎の一撃を遁《のが》れて、体勢をたて直すと、竹二郎は大きく息を吸い込んだ。首を
振って眼に入る血を振り払ったとき、竹二郎の腹が決った。
　善九郎がまた何か呟き、すぐにするすると近づくのが見えたが、竹二郎は避けなか
った。大きな黒い影が視界を塞《ふさ》ぎ、竹二郎は左の脇腹に激しい痛みを感じた。するり
と腹の中に冷たい刀身が入り込んできた感触がある。だがそれが、竹二郎が待った、
ただ一度の好機だった。歯を喰いしばって、痛みをこらえると、竹二郎は、匕首を握

っている善九郎の腕にしがみついた。

恐ろしい力で振り離そうとするその腕をたぐり、ついに善九郎の躰にぴったりと躰を寄せると、竹二郎は全身の力を込めて、相手の胸に匕首を叩き込んでいた。

凄じい絶叫が竹二郎の耳を搏《う》ち、ぐらりと傾いてきた善九郎の躰を支えたとき、竹二郎の頸《くび》は相手が吐いた血で、しぶきを浴びたように濡れた。

善九郎の躰が、ずるずると足もとに崩れたあと、竹二郎はよろめいて、なお暫《しばら》く立っていた。空はいつの間にか晴れたらしく、西の方に赤い日没の名残りをみせている。

その血のようないろが、網膜が映した最後の風景だった。竹二郎の視界は急速に暗くなり、躰が斜めに傾むいたまま急速に沈んで行くのを感じた。頬にあたる土の冷たさが快《こころ》よい。

「さてと、どうするね」

不意に人の声がした。鍬蔵に違いなかったが、声は異様に遠かった。鍬蔵を呼ぼうと竹二郎は口を開けたが、微かに呻き声が洩れただけである。やがて足音がした。水底を歩くような足音が、次第に遠ざかるのを聞きながら、竹二郎は躰が氷のように冷たくなっていく感触の中で、不意に闇をみた。

躰を斬り刻まれているような痛みの中で、竹二郎は眼を開いた。闇の中に血の匂いと、冷えた土の匂いが立ち籠めている。幾度か試みては地に這ったあと、竹二郎はどうにか立つことが出来た。よろめきながら歩き出そうとした時、柔らかいものに躓《つまず》いてまた転んだ。手探りで、それが善九郎の屍《しかばね》だと解った。

脇腹を押え、時々転んで這ってはまた立上り、竹二郎は少しずつ寺から遠ざかった。虫のような歩みだった。

五百羅漢寺の門前から榊原家下屋敷の横は一面の田圃《たんぼ》で、ただ底冷たい闇がひろがっているばかりだった。通る人は誰もいない。

司町と下大島町の間の道を、竹二郎は半ば這って進み、行徳街道に出た。そこまで行けば人通りがあるかも知れないと思ったのだが、星の耀《かがや》きの下に、仄《ほの》白く道がひと筋横たわっているだけだった。時刻は何刻とも知れなかった。

這って道を横切り小名木川の岸にたどりつくと、竹二郎はそこに襤褸《ぼろ》をつかねたように横になった。激しい痙攣《けいれん》が襲ってきたのに耐えたあと、竹二郎は脇腹の深傷《ふかで》を庇《かば》って海老《えび》のように背を曲げた。

「姉ちゃん」

竹二郎は眼をつぶったまま呟いた。半月前にこの岸で泣いたおたかは、そのあと十日も経たないうちに、金ケ谷に後添えに行ったと聞いた。

「助けてくれ姉ちゃん」

竹二郎はまた呟いた。すると眼尻から涙が溢れ、頬の下の砂を冷たく濡らすのが解った。

竹二郎が行くところは、おたかがいるところしかなかった。子供のときからそうだった。その道は夜の底を縫って、ひと筋仄白く北にのびていたが、金ケ谷の方角の空は遥かで、深い闇だった。

入墨

一

北割下水《きたわりげすい》に沿《そ》って歩いてきたおりつは、陸尺《ろくしゃく》屋敷の黒塀のそばで、不意に名前を呼ばれた。

「あら、牧蔵さん」

「いまあんたの店に行ったんだ。そしたら川向うに使いに行って、もう戻る頃だと言われたもんだから」

牧蔵は眩《まぶ》しそうな眼でおりつを見て言った。二人は三月《みつき》ほど会っていなかった。おりつは十七で、殻《から》を離れたばかりの蟬《せみ》に似て、一日ごとに顔が変るような時期である。三月の間に、おりつの頰はまた少し下膨《しもぶく》れになり、瞳がきらめくように黒く、唇は内に溢れる血のために、かえって粉を吹いたように白っぽく見える。おりつはいま、ここからほど近い横川町で、姉のお島と一緒に暮らしているが、その前は竪川堀脇の徳右衛門町にいた。そこの裏店《うらだな》で牧蔵と遊んで育った。だが牧蔵が、十一の時裏店を出て、深川伊勢崎町の大工《だいく》清右衛門の家に住み込んだあと、二人は牧蔵が年二回藪入《やぶい》りで帰るときぐらいしか、ゆっくり会うことがなくなった。

「今日は仕事は休みなの？」

とおりつは訊《き》いた。

牧蔵は紺の盲縞《めくらじま》の袷《あわせ》を着て、いつもの半纏《はんてん》、股引き姿ではない。袷は仕立ておろしのようで、紺が匂うようだった。そのため十九の牧蔵は大人《おとな》びて見える。痩《や》せているが、背が高かった。

「うん」

牧蔵ははにかむように笑った。

「今日から通《かよ》いになった」

「あらっ」

おりつは掌《て》を打った。

「もう伊勢崎町に泊らなくともいいの？」

「年期はまだ二年残ってるんだが、親方のところの都合《つごう》もあって、通いでいいことになったんだ」

牧蔵は背を塀に凭《もた》せかけたままで、伸びをした。牧蔵の足もとに、小さい野菊の花が咲いている。

「よかった」

「おりつちゃん」

牧蔵は近寄ってくると、その顔に生真面目《きまじめ》な表情を浮べて言った。

「今度どっかにお詣《まい》りにいかないか。洲崎の弁天様でも、富岡の八幡様でもいい」

「ええ、いいわ」

「え？　いいのかい」

牧蔵は自分から言い出したくせに、驚いた顔になった。だがその顔はすぐに笑いに崩れた。白い歯を見せて笑いながら、牧蔵は言った。

「よかった。断わられるかと思ったんだ」

「断わるわけはないでしょ」

おりつも笑いながら言った。浅黒く引き緊《しま》った牧蔵の容貌が、姉の店にくる酒飲みの客たちにくらべて、清潔で好もしかった。

「あたしたち、友達だもの」

「そうだなあ。でもあの頃一緒に遊んだ連中は皆どこに行っちまったのかな」

と牧蔵は少し遠くを見つめるような眼をした。雲もなく晴れた秋空が江戸の町の上にひろがり、日射しは傾いていたが、まだ町は明かるかった。割下水《わりげすい》の黒っぽい水が、空を映《うつ》して真蒼《まっさお》に染まっている。

「皆どっかに行っちまうんで、それで時々おりつちゃんに会いたくなるのかな」

牧蔵はまた少しはにかむように笑った。

「店へ寄って行く？」

「いや」

牧蔵は首を振った。

「おりつちゃんに会えたから、もういい。家へ帰るよ」

「牧蔵さんはお酒は飲まないの？」

「うん」

牧蔵は生真面目な表情になった。

「まだ飲んだことがないんだ。一度親方にすすめられて飲んだけど、すぐに吐いた。あまりうまいもんじゃないな」

牧蔵と別れて、店にいそぎながら、おりつは心がいつもより弾《はず》んでいるのを感じた。心の奥底の方から、水泡のように浮き立ってくる気分があって、おりつの表情はひとりでに綻《ほころ》んでくる。牧蔵の、眩しそうに自分を見た視線が心を擽《くすぐ》ってくるのである。

——あのひと、あたしを好いているのかしら——

おりつは大胆なことを思い、その想像のために不意に顔を赤らめた。人通りは少ない。背後から照らす日射しが暖かかった。

割下水《わりげすい》は横川堀に突き当たり、横川町の屋並《やな》みもそこで右に切れる。角《かど》を曲ったところで、おりつの足は不意に止まった。姉のお島が開いている飯屋《めしや》は、角から六軒目である。店の前はやや広い河岸《かし》になっていて、そこには大きな柳の木が間隔を置いて立ち並んでいる。

おりつの眼は、一本の柳の根もとに釘づけになった。そこに男がいた。男は粗末な袷《あわせ》を着た年寄りで、杖をついて木の下に立っている。白髪で、むさ苦しく伸びた髭《ひげ》も白かった。素足《すあし》に草履《ぞうり》を履いている。男の眼は、そこから斜めに、縄暖簾《なわのれん》を提《さ》げているお島の店に向けられている。おりつには気づかないようだ。

おりつは足音を忍ばせて、軒下《のきした》の日影を拾い、俯《うつむ》いて歩き出した。自然に顔を背向《そむ》ける恰好《かっこう》になった。

「めし・酒」と書いた看板の下の暖簾をすばやくはね上げて店の中に入ると、おりつははけたたましく姉を呼んだ。

「何だよう。そんな大声を出して」

もの憂《う》いような口調で、お島が手を拭《ふ》きながら板場《いたば》から出てきた。通いできているお玉の姿はなく、お島はひとりで夜の客のために支度《したく》をしていたようだった。

「お使いはどうした？　酢蛸《すだこ》を忘れなかっただろうね」

「それどころじゃないのよ。また来てるのよ、姉ちゃん」

「来てる？」

お島はおりつの顔をじっと見た。お島は少し怖い顔になっている。お島はおりつとは十違いで二十七だが、客に年よりさらに一つ二つは上に見られた。細面《ほそおもて》で眼が大きく、やや厚目の唇をしている。美貌だが、めったに笑うことがなく、それがいつも彼女を気性《きしよう》のきつい女に見せていた。お島は小さい時から苦労をしている。その苦労がお島の美しさの上を、薄い膜のように覆い包んでいるようだった。

お島は入口まで歩き、暖簾の隙間《すきま》から外を覗《のぞ》いた。

木のそばに男の姿が見えた。日はかなり傾いたらしく路上にあった屋並みの影が伸びて、男の腹から下は薄青い日陰の中にあった。男の姿は、胸から上だけ光の中に浮いているように日に染まり、白髪も、顔に刻《きざ》んだ皺《しわ》もはっきり見えた。

「どうする？　姉ちゃん」

と、姉のそばに来たおりつが言った。

「どうもしないよ」

「でも、今日で三日目だよ」

「ほっときな」

お島はもの憂い口調で言うと、暖簾から指を離して戸口を離れた。

「ああして、また夜になるまでいるかしら」

「覗いたりするんじゃないよ」

お島は少しきつい声になった。

「あれはお父っつぁんなんかじゃないんだから。いまになってあたしらの前に顔を出せるような人間じゃないんだから。他人さ。他人がどうしようと知ったことじゃないよ」

「遅くなりました」

元気のいい声でお玉が店に飛び込んできた。お玉は十八になる娘で、この先の本所《ほんじょ》三笠町から通っている。

「わあ、おかみさんご免なさい。出ようと思ったら友達が来て」

「友達って、男かい」

「いやだ、おかみさん。隣のおてるさんですすよ」

二

木場《きば》から江島橋を渡ったところに、弁財天《べんざいてん》社の脇門があった。

牧蔵とおりつは境内《けいだい》に入ると、すぐにお詣りをした。弁財天を祭った社《やしろ》は、石垣を積み上げて一段高くした場所にあり、社の後に別当の吉祥院の建物が続いている。風もなく穏やかに晴れた日だったが、時刻が早いせいか境内には人影が疎《まば》らだった。社の右手の葭簀張《よしずば》りの茶屋の中にも人がいたが、それも数えられるほどの人影だった。中には首を曲げて二人をじっと見送っている者もいる。葭簀を通して、きらきらと日を弾《はじ》く海が見えた。

「寄ってらっしゃいな、お二人さん」

茶屋の前に出てきた女が甲高《かんだか》い声を掛けた。女は赤い前垂れをして、二人に笑いかけている。

「どうする？」

と牧蔵はおりつを見て言った。牧蔵は少し火照《ほて》ったような顔をしている。

「高いんじゃない？」

「でも、どうせ昼飯を遣《つか》わないわけにいかないぜ」

「外へ出ましょうよ。外でも喰べられるでしょ」

女の若い二人をからかうような微笑が、おりつを居心地悪くさせていた。悪い気分ではないが恥ずかしかった。

牧蔵が先に立って、鳥居《とりい》をくぐり、料理屋の間を通って門を出た。

「いい天気だ」

外へ出ると牧蔵は立ち止り、両手を空に突き上げるようにして言った。門の外は原っぱで、道をはさんで右は丈《たけ》の短い枯草《かれくさ》が生《は》え、その中に波除碑《なみよけひ》が聳《そび》えている。左は少し高い土堤になって、その向うに青い海がひろがっていた。

「これは昔、ここに津波が押し寄せてさ。このあたりをひと呑みにしたんだ。だからここに家を建てちゃいけないと彫ってあるそうだ」

牧蔵は碑のそばにおりつを導くと言った。

「牧蔵さんは物知りね。でも怖《こわ》い話だ。また津波がくるかしら。ねえ？」

「そりゃ地震があれば、また来るかも知れないさ」

「ねえ、いま来たらどうする？」

「ばかだなあ。こんないい天気の日に、津波が来るわけがないじゃないか」

牧蔵は言い、土堤に駈け上ると大きな声で、

「こっちへおいでよ」

と言った。

おりつも小走《こばし》りに後を追った。土堤に上ると、突然眼の前に真蒼《まつさお》な海がひらけた。海は小さな波を刻み、波は眩しく日の光を弾《はじ》いている。日は海の真上《まうえ》にあった。

「いまもし津波がきたら」

しばらく黙って海を眺めた後で、牧蔵は低い声で言った。

「俺がおりつちゃんを助けてやる」

おりつは黙っていた。聞えないふりをしてしゃがむと、足もとの枯草の穂を抜いた。牧蔵がいま何かを告白したことが解《わか》ったが、それを正面から受けとめるのが怖かったのである。おりつの沈黙は、牧蔵を恥ずかしがらせたようだった。牧蔵は真直《まつすぐ》海に顔を向けて、大きな声で言った。

「心配するなって。俺は泳ぎは達者なんだ」

「お握り喰べようか」

とおりつもはしゃいだ声を出した。

二人は枯草の上に並んで腰をおろすと、竹の皮に包んだ握り飯を喰べた。姉のお島

が作ってくれたのである。お島が牧蔵に好意を持っているらしいことも、おりつの気分を浮き立たせている。姉は二人で弁天様に行くというのを簡単に許した。八《や》ツ過ぎには帰ってくるように言い、たまには遊んでおいで、と言ったのである。

だがお握りを喰べると、あまり喋《しゃべ》ることがなくなった。牧蔵も黙っている。蒼《あお》い海を眺め、足もとの石垣に砕《くだ》ける波の音を聞いていると、ひどく遠いところに来てしまったような気がした。姉はまた板場に入って、大根や菜を刻んでいるだろうかと思った。そして不意にあのひとは今日も来るだろうかと思った。木の下に杖をついて立っている年寄りの姿が思い出される。すると海の色が少し翳《かげ》ったような気がした。

牧蔵が何か喋ってくれればいいと思った。牧蔵の顔を盗み見たおりつは、くすりと笑い、慌《あわ》てて手で口を押さえた。牧蔵は何かを思いつめたような表情で、遠い沖のあたりを見つめている。だが、その顎《あご》に飯粒《めしつぶ》を二つほどつけたままだった。

「何だい」

振り向いた牧蔵が言った。おりつは指で自分のおとがいを指さした。

「ああ、これか」

牧蔵は照れ笑いして飯粒をとると、無造作に口の中に入れた。しかしそのまま黙って眼を海に戻した。このひとは、本当は無口なんだ、とおりつは思った。

「牧蔵さんは、これからどうするの？」

「え？」

牧蔵は振り向いておりつを見た。

「ずっと伊勢崎町で働くの？」

「ああ」

牧蔵は遠いもの思いから漸《ようや》く帰ってきたように表情を柔らげた。

「年期が明けてないし、そのあと一、二年はお礼奉公がある。当分親方のところに通いで働くんだ。しかしいずれ棟梁《とうりよう》になる」

「危いわ。高いところに登るんでしょ？」

「え？」

牧蔵は怪訝《けげん》そうな顔をしたが、不意に笑い出した。

「変なことを言うんだなあ。棟梁にならなくとも、今だって高いところに登っているよ」

「怖くないの？」

「べつに怖くないさ。初めは誰でも怖がるが、そのうち平気になる」

おりつは高い棟《むね》に登って、鋸《のこぎり》を使ったり、釘を打ったりしている牧蔵の姿を想像した。するとそばにいるのが、幼馴染《おさななじみ》の牧蔵とは違う、一人の別の男のような気がした。

その気持が、不意にあの男のことを喋ってみたい気分に駈り立てた。

「あたしにお父っつぁんがいたのを知っている？」

「ああ」

牧蔵はおりつを振り向いた。

「小さいとき見ただけだが、憶えているよ」

「どんな人だったの」

「そう言われてもわからないな。俺もあんたとそう変りなく小さかったからな」

「あたしは憶えていないの。二つのときにあたしたちを棄ててどこかに行ったんだから」

「そう言えば思い出すことがある」

牧蔵はおりつに躰《からだ》を向けると、枯草の上に胡坐《あぐら》をかいた。

「小母《おば》さんとよく喧嘩してたな。お島さんがあんたをおぶって家に逃げてきたことがあった」

「恥ずかしいわ」

「恥ずかしいことはないさ」

牧蔵は考え深い表情になって言った。

「どこの家にもあることだよ。家の親爺とおふくろもよく喧嘩してたよ。それも子供の前も構わずに取っ組み合いの喧嘩だった。いまは二人とも年取ってそんな元気はなくなったけどな」

牧蔵は小さく笑った。

「お父っつぁんが帰ってきたのよ」

不意におりつは言い、牧蔵の顔をみた。

「帰ってきた？」

「ええ」

おりつは牧蔵の眼を見つめた。牧蔵は眼を瞠《みは》るようにしておりつの顔を見ている。

「毎日店の外に立っているの。でも姉ちゃんは店に入れないのよ。昔、姉ちゃんを辛《つら》い所に売って、その金を持って姿を昏《くら》ましたんだって。だから、他人だって言うのよ、姉ちゃんは」

「…………」

「あたしが二つのときでしょ。十五年ぶりに姿を見せたわけよ。おっかさんは貧乏なまま死んじゃったし、姉ちゃんは途中からあたしを引き取ったりして、苦労したのよ。だから解るの、姉ちゃんの気持は」

「うん」

「でも、あれがあたしのお父っつぁんなら、可哀想だとも思うの」

「毎日店の前に来てるのかい」

「どうして姉ちゃんが店をやってるの解《わか》ったのかしらね。とも角解って来たわけよ」

「もう年だろ？」

「白髪で、腰も少し曲ってる。店に子供が二人もいるのが解って、声をかけてもらいたがっているのよ、きっと」

「…………」

「初めは怖かったのあたし。でもこの頃は可哀想で……」

おりつの眼が潤《うる》んだ。

「辛いの」

牧蔵は腕組みをしておりつを見ていた。涙ぐんだ眼のまま、おりつは牧蔵に言った。

「どうしたらいいかしら」

「俺から姉さんに言ってやろうか」

「駄目よ」

おりつは慌てて首を振った。

「その話になると、姉ちゃん怖い顔をするもの」

「ふうむ」

牧蔵は唸《うな》って腕組みをとくと、また海の方を向いて長い脛《すね》を抱いた。

「おりつちゃんが知ってるように、俺は家には係わりのない人間だ」

牧蔵は不意に別のことを言った。

「兄貴が二人もいるし、姉もいる。だからいずれ所帯《しょたい》を持つにしても、身が軽いんだ」

「…………」

「もしもよ、もしもの話だよ」

牧蔵の声には、言い辛いことを無理に押し出そうとしている硬い響《ひび》きがあった。

「おりつちゃんさえよかったら、俺がお父っつぁんの面倒をみてもいいんだ。もちろん今すぐってわけにはいかないだろうが」

おりつは初め牧蔵が何を言ったのかわからなかった。だがすぐに、どさくさ紛《まぎ》れに牧蔵が自分を嫁にしたいと言ったことが解った。それが解った気分は悪いものではなかった。擽《くすぐ》られるように浮き立つ気分がある。だが回りくどい言い方をしている牧蔵を、もう少し困らせてやりたい気持が動いた。可哀想にこのひと、額《ひたい》に汗かいてる。

「でも、うちのお父っつぁんはやくざ者なのよ」

「解ってるよ、それぐらい」

「姉ちゃんの話だと、もっと悪いことをしてるかも知れないんだって」

「年寄りだから、もう悪いことなんぞ出来っこないさ」

牧蔵は断定的に言った。

「でも、今すぐお嫁になんか行けないわよ」

「え？」

牧蔵の顔にみるみる笑いがひろがった。

「きてくれるかい、俺んとこに。それはそうさ、今すぐでなくたっていいよ。第一まだ住む家もない」

牧蔵は中腰《ちゅうごし》になり、慌てた口調になった。おりつはくつくつ笑った。

「何だい。何がおかしいんだ」

「牧蔵さんて、変なひと。弁天様って焼き餅やきなのよ。有名なんだから。弁天さまの前でそんな話を持ち出しちゃいけないのよ」

「ほんとかい、おりつちゃん」

牧蔵は立ち上り、狼狽《ろうばい》した顔になった。

「そいつは知らなかったなあ」

おりつも立ち上り、笑いながら裾《すそ》を押さえて土堤を駈け下った。

「おい、待てよ」

牧蔵も後を追ってきて叫んだ。二人は波除けの碑を、鬼ごっこでもするように二、三度回り、枯草の中に駈け入って、大きく円を描いて走り回ったあと、また碑のそばに戻った。

「うちのお父っつぁん、卯助《うすけ》っていう名前なんですって」

おりつは、碑に手を触れて躰をささえ、息を弾ませながら言って笑った。

「変な名前」

「変なことはないさ」

牧蔵は言ったが、自分も笑い出した。弁財天の門際《ぎわ》で、年寄った夫婦らしい二人連れが、牧蔵とおりつを呆《あき》れたように眺めていたが、二人にはその視線は全く気にならなかった。風景が眩しくひろがっている感じがするばかりだった。

三

「また見てる。覗くんじゃないって言っただろ？」

お島に叱られて、おりつは暖簾《のれん》から離れたが、その眼に涙が滲《にじ》んだ。

「なんだい、その顔は」

「だってまだいるもの。外は寒いのに」

「どれ」

お島も覗いたが、すぐに、

「大丈夫だよ、歩き出した」

と言った。店には十人ほどの客がいて、煮物や焼魚をつつきながら酒を飲んでいる。「おい姐《ねえ》ちゃん、酒だ。二人とも何をぼんやり突っ立っていやがる」という声がした。

「はい、ただいま」

お島は張りのある声で答えて、板場に戻った。おりつはまた縄暖簾に隙間をつくって外を見た。男が仄暗《ほのぐら》い夜の道を帰るところだった。男の姿は不意に闇に呑まれて見えなくなったり、路に明りが洩れている場所にまた浮び上ったりしながら、少しずつ遠ざかって行く。

男は測って来るように、七ツ（午後四時）過ぎに清水町の方角から、河岸《かし》伝いに姿を現わし、一刻ほど店の向い側に立って、六ツ（午後六時）の鐘が鳴る頃、ゆっくりした足どりでどこかへ帰って行くのだった。杖に縋《すが》って、どこか躰の具合が悪いかと思うほど覚束《おぼつか》ない足どりだった。

不意におりつの胸が轟《とどろ》いた。

清水町の方角から人影が三人現われたと思うと、擦《す》れ違いざまにいきなり男を突き飛ばしたのを見たのである。紙のようにたわいなく、男の姿が路に倒れるのが見えた。

おりつは思わず外に走り出した。

突き飛ばした連中は、擦れ違うとき今度はおりつに野卑《やひ》な声をかけたが、おりつは気づくひまがなかった。下駄を鳴らして駈け、男のそばに来ると、声をかけた。

「大丈夫ですか」

男はのろのろと起き上がった。杖に縋って立つと、おりつをきょとんとした眼で見た。皺《しわ》に埋もれたような細い眼が、おりつを確かに見ているかどうかは解らなかった。

「大丈夫ですか、おじさん」

とおりつは言った。すると思いがけなく涙が溢れた。おりつは男の前にしゃがむと、着物についた埃《ほこり》を払ってやった。

「おなか空《す》いてませんか、おじさん」

おりつは言い、俯《うつむ》いてこみ上げてくる嗚咽《おえつ》を歯で噛《か》みしめた。男は黙って立っている。

「ね、何か喰べていらっしゃい。行こ、あの店に行こ」

姉に怒られてもいい、とおりつは思った。冷たい風が河岸《かし》を吹き過ぎて、半分ほど葉が落ち散った柳の枝が暗い道に枯《か》いた音を立てた。

男の手をひいて店先まで戻ると、暖簾の前にお島が出ていた。いきなり殴られるかと思ったが、お島は低い声で、

「こんなことになると思ったよ」

と、言っただけだった。それから男に向って、

「どうせ飲みたくて突っ立っていたんだろ。一杯飲ませるだけだからね。妙な勘違いをしない方がいいよ」

と言った。男はお島のきつい科白《せりふ》を聞いているのかどうか、ひと言も喋らなかった。

おりつは男の手をひいて飯台《はんだい》にみちびいた。店は混んできている。入口の近くが僅《わず》かに空いていた。そこに男を坐らせると、

「いまお酒持ってきますから、ここで待っていて下さい」

とおりつは言った。男は細い眼を見ひらき、驚いたような顔でおりつを見上げている。その顔をみておりつは、この人は、姉の店を本当に自分の子供の店と探《さぐ》りあてて来たのかしらと疑った。姉も自分も、そのつもりで男を眺めているが、ひょっとしたらさっき姉が言ったように、酒が飲みたいために、ある日偶然見つけた酒の店の前に、物乞いのように毎日立ち続けていたのではなかったか。おりつを見つめる男の眼には、おりつを自分の子供と認めた感情の動きは感じられなかった。

――それでもいい――

とおりつは思った。この人が、姉が言ったように、確かに自分の父親なら、寒い外に立たせておくことは出来ない、と思った。

お島が渡した一本の銚子《ちょうし》と、漬け物をのせた小皿を受け取りながら、おりつは小声で言った。

「あのひと、ほんとにお父っつぁんなの？」

「ああ、紛《まぎ》れもないバカ親爺さね」

お島は乱暴な口をきいた。

「ほんと？　間違いない？」

「お前もバカな子だね。どこの世界に自分の親を見間違える人間がいるかよ」

「おかみさん」

奥の方に回っていたお玉が叫んだ。

「こちら、お銚子二本ですウ」

「はいよ」

お島は愛想のいい返事を返し、おりつに向って言った。

「さっさと飲まして帰しな。余計な情けをくれるんじゃないよ。癖《くせ》になるから」

「姉ちゃん」

おりつは姉の後姿を追いかけた。

「でもあのひと、あたしのことなんか解らないみたいだ。ほんとにあたしたちが子供だと思ってここへ来たのかしら」

「それがあいつのテなんだよ」

お島はお湯の中から燗《かん》のついた銚子を引きあげながら、煩《うる》さげに言った。

「ちゃんとわかっているさ。わかっていてとぼけてんだよ、あのじじい」

おりつが酒を持って行くと、卯助《うすけ》は「へい」と低い声で言い、おりつに頭を下げた。顫《ふる》える手が思いがけないすばやさで銚子を摑《つか》み、盃を引き寄せた。ほかの客に酒を運びながら、おりつはちらちらと卯助を眺めた。卯助は飯台に胸をこすりつけるようにして、盃を口に運んでいる。嘗《な》めるようにゆっくりした飲みかただった。灯の色が暗くて、表情は解らない。

「おい、このじじいは何とかならねえのかい」

不意に大きい声がした。声は嗄《しやが》れ声で荒々しく、一瞬店の中のざわめきが消えた。お島が訝《いぶか》しむような表情で板場から出てきた。酒を出すが、飯も喰わせる店で、近くにある銅座の職人などの常連が多く、この店ではめったに大声を張りあげるような客はいない。いまも酒は飲まずに飯だけ搔《か》き込んでいる客もいた。

「どうかしましたか」

「どうかしたかじゃねえやい。このじじいをどっかに寄せてくんな。臭くて酒がまずくて仕様がねえや」

声の主は隣に坐っている卯助を指さしていた。指さされた卯助は、まだ一本の銚子にしがみついて、盃をすすっている。おりつははっとした。さっき卯助を店にみちびいてきたとき、異様な匂いがしていたのを思い出したのである。恐らく洗い濯《すす》ぎもしない物を身につけているためなのだろう。引いた手に油気がなく、木の皮を摑んだような感触だったのも甦《よみがえ》ってきた。

隣に坐っている男は、それを言っている。

「相済みません」

お島は慌てて言い、小走りに男のそばに行った。男は三十ぐらいの小肥《こぶと》りの男で、ときどき店で見かける顔である。右耳の下に刃物の傷痕と思われる黒い引き攣《つ》れがあり、険《けわ》しい眼つきが堅気《かたぎ》とは思えない。いつも黙って飲んで帰るだけの男だった。

「心づかないことをしました。ちょっとした知り合いなもので、うっかり一杯飲ませたものですから」

「とにかく臭えや。鼻がひん曲る」

「ちょっと」

お島は邪険《じやけん》に卯助の前から銚子を取り上げた。

「もう大概《たいがい》におしよ。躰があったまったら帰っておくれ」

卯助は驚いたように顔を挙げ、慌てて銚子に手を伸ばしたが、お島の険しい表情に気づくと黙って立ち上った。それから腰をかがめてうろうろと土間《どま》を眼で探った。

「はい、これでしょ」

おりつは素早く入口に立てかけておいた杖を持って行って握らせた。卯助は、おりつの顔をじっと見た。酔いが回って、猿のように赤らみ皺ばんだ顔だった。それから何か言いかけるように、微《かす》かに喉《のど》を鳴らしたが、そのままおりつが開けた戸から外に出た。店の中にまたざわめきが還《かえ》ってきた。

そのざわめきに追い立てられるように、杖に縋った姿が、ゆっくり遠ざかる。

――どこまで帰るのだろ――

見送りながら、おりつはふとそう思った。背後で、「なにわかりゃいいのさ」という男の声と、「お口なおしにおひとつ」と言っているお島の声が聞えた。姉の機嫌のいい声を、おりつは憎んだ。

年寄りの姿が闇の中に消えたのを見届けて、おりつはお島を振り返った。卯助を追い払った男が、ちょうど立ち上ったところだった。

――もう帰るんなら、あんなことを言わなくともいいのに――

おりつは、険しい人相をしたその男も憎んだ。

「またおいでなさいまし」

男を入口まで送って出て、お島が愛想よく言った。男はうなずいて店を出ようとしたが、不意に振り返って、

「兄貴が帰ってきますぜ」

と言った。お島は不意を打たれたように、眼を瞬《まばた》いて男をみたが、その表情が急速に硬くなるのをおりつは見た。

「誰のことですか」

「おや、お忘れですかい」

男の嗄《しやが》れ声は、急に嘲《あざけ》りを含んだようだった。

「兄貴ったら乙次郎《おとじろう》兄貴に決ってると思ったが、ほかにもそういう人がいなさるんですかい」

「知らないね、そんな人は」

お島は険しい声を出した。男を睨《にら》みつけるようにして言った。

「あんた一体誰なのさ」

「弟分で源吉というもんですがね。兄貴が江戸を出るときに頼まれましてね。ちょいちょい見回ってくれってわけで、へい」

「余計なお世話だよ。あの人とはとっくの昔に切れてんだからね」

「おや、兄貴はそうは言ってませんでしたぜ」

店の奥で客が銚子を振って、酒を催促《さいそく》している。おりつは二人のそばを離れ、酒を運ぶために板場に行った。

酒を運んで入口を見ると、男の姿はなく、お島がぼんやり袖口に手を差し込んで立っていた。お島の髪は少しほつれ、顔色が蒼ざめて見えた。

「あの人、誰なの？」

おりつは姉のそばに行くと、恐る恐る聞いた。

「え？」

お島は考えごとをしていたらしく、顔を向けたあとしばらくぼんやりおりつの顔を見ていたが、漸《ようや》く、

「ならず者さ。気色《きしよく》悪い」

と言った。

「乙次郎て誰のこと？」

「お前の知らない人だよ。よけいなことを聞くんじゃないの」

とお島は言った。だがお島の声は、何かに怯《おび》えているように、どこか落ちつきがなく、おりつを不安にした。こんなに屈託《くつたく》ありげな姉をみるのは初めてだった。

四

銚子一本の酒を、少しずつ啜《すす》るようにして、卯助は飯台にへばりついている。寒いせいか客は少なく、五、六人しかいなかった。お島は客の一人の前に坐り込んで、酒の相手をしていた。相手は同じ町内の薬種《やくしゅ》問屋の手代で、常七という男だった。世帯持ちの四十男で子供も三人いる。常七の家は、北割下水《わりげすい》を渡って、業平橋《なりひらばし》に程近《ほどちか》い八軒町にあった。酒好きで店の仕事が終ったあと、大概お島の店で一杯ひっかけて家へ帰るのである。

お島の笑い声がした。常七がおかしいことを言ったとみえて、お島は仰向《あおむ》いて笑ったあと、袖で顔を隠してまだ笑っている。その笑い声で、おりつはお島がまた酔っているのを感じた。

眼の隅《すみ》で人影が動いた。卯助が立ち上ったところだった。卯助は相変らず七ツ過ぎになると、どこからともなく店の前にやって来て、木の下に立っている。すると時刻を測っていたおりつが外に出て呼び入れるのだが、卯助の顔には何の表情も表われなかった。皺の中に埋もれたような眼を伏せて、ゆっくり店に入り、そこが定められた席であるかのように、入口に一番近い飯台の端《はし》に坐り、手をこすりながら、熱《あつ》い銚子が運ばれてくるのを待つのである。卯助が、そのようにして店の隅に坐るようになってから、二十日ほど経《た》っていた。

おりつは勝手に卯助を呼び入れ、勝手に酒を運んだが、お島は見て見ぬふりをする、という態度だった。

「一本だけだよ。あのじじいに酒を飲ませる義理なんてものは、これっぽちもないんだからね」

と釘をさしただけである。

卯助が匂うと言って難癖《なんくせ》をつけた、あの源吉という男が来ないかと、おりつは気を配っていたが、源吉はあの夜妙なことを言ったきり、ふっつりと顔を見せない。

「ご飯を喰べて行きなさいよ」

おりつは立ち上った卯助が、入口に来るのを待っていて囁《ささや》いた。

「姉さんなら、構わないのよ」

「…………」

卯助は顔を挙げて、おりつをじっと見た。一本の酒で赤くなった顔の奥から、瞬《まばた》かない眼がおりつの顔に向けられている。

「…………」

卯助は首を振った。

「どうして？　姉さんが怖いの？」

おりつは卯助の袖をつかんで言った。異臭が鼻を衝《つ》いてくる。卯助は黙って首を振ると歩き出した。

「おりつちゃん、どうした？」

おりつが外に出て卯助を見送っていると、背後から声がかかった。月明りに牧蔵の姿が浮き上っている。

「遅かったのね」

「もう帰っちゃったかい」

「ほら」

おりつは指で、遠ざかって行く卯助をさした。小さな影がひとつ、凍るように白い月明りの道を、少し揺れながら歩いて行く。

「どうする？　行ってみるかい？」

「ちょっと待って」

おりつは男を待たせて、店の中に戻った。お島はまだ常七の前に坐って話し込んでいる。おりつの方は見なかった。お玉は板場に入っていて酒の燗《かん》をつけている。

「行ってみるわ」

外に出ると、二人は並んで足をはやめた。卯助の後を跟《つ》け、どこに住んでいるか突きとめるつもりである。

姉のお島が、父親をどう思っているにしろ、銚子一本の酒で、物乞いでも追い払うように扱っているのが、おりつには辛かった。お島は話しかけるどころか、眼もくれない。五日ほど前に牧蔵にそう訴えたとき、牧蔵は意外なことを言った。

「しかし、お父っつぁんがどういう暮らしをしているかは、見なくちゃ解らないことだぜ」

「それはどういうこと？」

「ひょっとしたら、ちゃんと家があって……」

牧蔵は言い難《にく》そうに声を落とした。

「女房子供がいるかも知れないじゃないか」

あ、とおりつは思わず声を挙げそうになった。そういうことを考えたことはなかったのである。しかし十五年前に姿を消したとき、卯助は若い女と一緒だったのである。その女といまも一緒に暮らしていれば、子供も当然いる筈だった。

確かめなければならない、と思った。女房子供がいるとしても、父親のみじめな姿に無関心ではいられない。見過《みすご》しは出来ない。だがもしそうだとすれば、いまのような切ない気分は、幾らか救われる気がした。おりつは牧蔵に頼んで、一度卯助の住んでいる場所を確かめることにした。今夜がその約束の晩だった。

卯助の姿は、横川堀の川沿いの道を真直《まっすぐ》歩き、清水町を通り過ぎ、さらに長崎町を過ぎようとしていた。

風は無いが寒い夜で、銀色の半月が、暗い空に描いたように光っている。人通りは無く、道には屋並みの軒が、短い影を落としているだけだった。

卯助は南割下水《わりげすい》に沿って、道を右に曲った。牧蔵とおりつは、いそいで角《かど》まで行ってその姿を探したが、探すまでもなく卯助の後姿は同じ足どりで、割下水沿いに歩いていた。町は長岡町に変り、三笠町二丁目から一丁目を過ぎて、そこから先は武家屋敷の塀続きになった。卯助は一度も振り向かない。少し背を丸め、前かがみになった姿勢で黙々と歩いて行く。

辻番所の前を二度通った。突き当りに本所《ほんじょ》御竹蔵の広大な塀が、黒々と浮び上った。

「どこまで行くのかしら」

おりつは牧蔵に囁《ささや》いた。寄り添ったのは寒かったからだが、漠然とした不安も胸の中に兆《きざ》している。卯助はどこまで行くのだろうか。

「曲った」

牧蔵が囁いて、おりつの手を探った。おりつは掌を委《ゆだ》ねたままにした。牧蔵の掌は大きく暖かかった。

卯助は御竹蔵前の掘割《ほりわり》に突き当ると左に折れた。道は割下水を渡って、左は武家屋敷、右は御竹蔵の掘割にはさまれて、真直《まつすぐ》南に伸びている。卯助の姿は、足もとに黒い影をひきずって、ゆっくり歩いて行く。亀沢町の角で、月明りで昼のようなのに、提灯《ちようちん》を提《さ》げた二人連れの男に会ったが、卯助の休みない足どりは変らなかった。

ついに卯助は本所相生町四丁目と五丁目の間を抜けて、竪川に架《か》かる二ノ橋を渡った。

卯助が足をとめた場所は、五間堀《けんぼり》を渡って、長慶寺と隣合う深川森下町の一角だった。そこに貧しげな裏店《うらだな》があった。傾いた木戸が、そのまま片側に寄せかけてある。裏店は長慶寺のしんかんとした黒塀に寄り沿うように、低い軒を聚《あつ》めていた。ここに来るまでに、卯助は二ノ橋を渡ってから松井町と林町の間を抜け、さらに常盤町から大名屋敷と弥勒寺《みろくじ》の間を通り抜けてきている。

木戸の外で、おりつは牧蔵の腕に縋《すが》って立ち、卯助が裏店の一軒に入って行くのを見た。裏店のどこにも灯の色がなく、卯助が家に入る時、戸が耳をこするような鋭い音を立てて軋《きし》んだだけである。おりつの躰は小刻《こきざ》みに顫《ふる》え続けている。長慶寺の高い杉木立の中に、まだ眠れないらしい夜鳥の声が洩れ、木の枝にさえぎられて、あたりが暗いのが怖かったのである。

卯助の家の窓に、灯がともった。行燈《あんどん》に火を入れたようだった。

「あそこが、お父っつぁんの家なのね」

とおりつは囁いた。しッと牧蔵が言い、おりつの手を引っ張った。

卯助の家の戸が開き、中から脇の下に何かを抱えた卯助が出てきた。卯助の足どりは、歩いてきたときと変らないゆっくりした運びで井戸に向った。その姿が不意に見えなくなったのは、老人がそこにしゃがんだのだった。やがて水を汲み上げる音と、米をとぐ音が聞えてきた。

卯助の家の灯が消えるまで、牧蔵とおりつは、家の外に立ち、長い間、中の物音を聞きとろうとした。物音は、老人が飯を炊き、それを喰い終ったことを示し、やがて灯が消えた。

長い、だらしのない欠伸《あくび》の声が家の中の闇の中でした後、物音は絶えた。おりつは、牧蔵を促し、木戸の外に出た。おりつの心には、もう怯《おび》えはなかった。父親に対する憐れみが、火のように募《つの》ってくるのを感じていた。

五

いきなり頬を打たれた。牧蔵に送ってもらい、詫びを言ってもらって、二階の部屋に上ってからである。店の二階のこの部屋で、おりつは姉と一緒に寝起きしている。牧蔵の言い訳には愛想のいい笑顔を見せたお島が、店の戸締りをして二階に上ってくると、不意におりつを撲《なぐ》りつけたのである。

「何だい、若い娘が」

お島の躰から酒が匂っている。

「夜の夜中に男とほっつき歩いて。そんなことで済むと思っているのかい」

「だって、言ったでしょ。お父っつぁんの家を見に行って来たって。遊びに行ったんじゃないわ」

「それがよけいなことだって言うんだよ。甘い顔をしていれば、お父っつぁん、お父っつぁんてうるさいね。あんなじじい、父親でも何でもないって言っただろ。あんな奴に、酒なんか飲ませることはないんだ。ただお前が何だかんだと哀れがるから、見ないふりをしているだけさ」

「お酒一本がそんなに惜しいの」

灯が消えた闇にひびいた、溜息《ためいき》のようだった長い欠伸《あくび》の声が、おりつの耳に残っている。その声がおりつを反抗的にした。


「そんなに惜しかったら、お金はあたしが払うわよ」

「お金じゃないよ。あのじじいが憎いのさ。言ってもお前には解らないことだけどさ」


「姉ちゃんには迷惑かけない。牧蔵さんが、あたしを嫁にもらってくれるって。そうしたら、お父っつぁんはあたしがひき取るから」

ぷっとお島は吹き出した。


「おや、ご立派だこと。お前が牧蔵さんの嫁になって、あの憎たらしいじじいを引き取ってくれる。ぜひそうしておくれ。あたしゃそれ聞いてせいせいした。お前を育てた甲斐《かい》があったねえ」

「姉ちゃん、姉ちゃん」

おりつはお島の言葉をさえぎった。

「どうしてそんなにお父っつぁんが憎いの。姉ちゃんを売ったからなの」

「そうだよ」

お島は怒鳴《どな》った。

「あたしがした苦労なんてものは、話しても誰にも解りゃしないさ。あたしだって考えると夢みたいだよ。お前いまいくつだっけ？」

「十七」

「そうだったねえ。あたしが売られたのは十二の時さ。そしてじきに客を取らされた」

お島は壁に這い寄ると、足を畳に投げ出し、壁に凭《もた》れて笄《こうがい》で頭の地を掻《か》いた。

「辛かったの？」

「当り前だろ。十二だよ、人バカにして。お父っつぁんという人は、娘を売ったその金を持って、若い女と逃げたんだよ」

「………」

「あの人はもともとおかしなところがあった人なのさ。仕事に身が入らなかったよ。あたしを売り飛ばす前も、さんざ貧乏してるんだ」

卯助は際物師《きわものし》だった。

際物師は正月二日には宝船の絵、六日には七草粥《ななくさがゆ》に使う薺《なずな》、十四日には輪飾《わかざ》りを取りはずした後にかける削り掛けというように、その時々の行事に必要な品を売り歩く商売である。宝船の絵は、駿河半紙に七福神乗合い船を描き、その上に「長き夜のとおの眠りのみな眼覚め　波のり船の音のよきかな」という歌を墨摺りにしたものである。

卯助はこれを「お宝お宝えー、宝船、宝船」と呼んで売り歩いた。六日には「なず菜ア、なず菜」と触れ売りをするのである。

三月には雛物《ひなもの》、五月には端午《たんご》の節句もの、七月には七夕《たなばた》の生竹、盆燈籠《ぼんどうろう》など盂蘭盆《うらぼん》に使う品々、八月十五夜、九月の十三夜には月見の尾花、十月に日蓮宗の会式《えしき》詣をあて込んできせ綿、作り花を売る。十一月には酉《とり》の町のもの、十二月は正月用のしめ縄、飾り松などを売り歩く。売ったものは、使えば翌日に捨てられるものであったり、翌年のその日にならないと買い替えないものだったりする。

季節季節に必要なものではあるが、売り値は高価なものはない。利は薄く、利が利を生む商売の面白味というものもなかった。身過ぎ世過ぎのなりわいだった。暮らしは貧しく、お島には、金のことで卯助と母親のおたねが始終言い争っていた記憶しかない。

口喧嘩が、卯助がおたねを打ち叩き、おたねが女だてらに卯助にむしゃぶりついて行く、浅ましい取っ組み合いになったのは、おりつが生れる前の年あたりからだった。

卯助は博奕《ばくち》を打ち、女遊びをしているのだと、その頃おたねは子供のお島にこぼした。

「お前は嫁に行くときはちゃんと手に職のある人にいかないとねえ。あのひとは商売にひまがあり過ぎるんだよ。もともと怠け者が、ひまがあるから、つい悪いことに手出しするのさ」

おたねがいう賽子《さいころ》遊びがどういうものか、子供のお島にわかる筈はなかったが、それが悪いことだということは頭の中に滲み込んだ。卯助は昼は寝ていて、日暮れから外に出かけた。お島が起きているうちに帰ってくることもあったが、夜更《よふ》けに表戸を乱暴に叩き、酒に酔って帰ることもあった。その後で喧嘩が始まった。

卯助とおたねが、近所迷惑な声を張りあげて、取っ組み合いをしているのをみると、お島は子供心にも隣近所への気遣《きづか》いで身が縮むようだった。

それでも初めの間卯助は、三晩も家に帰らないなどという時でも、売り物の時期がくると姿を現わし、慌てでどこからか金を都合《つごう》してくると品物を揃《そろ》え、売りに出かけた。だが博奕と酒に心を奪われている男に、いい商《あきな》いが出来るわけがなかった。売り上げが落ち、品物が残るようになった。その日一日だけしか値打ちがなく、次の日は捨てられるものがその夜、山になって家の中に残っているのは、恐ろしくて滑稽な光景だった。その売れ残った尾花の中で、卯助とおたねは口汚く相手を罵《ののし》り、果ては取っ組み合った。

卯助は仕事を怠けるようになった。万遍《まんべん》なく売っていた行事ものを、ある月は売りある月は休むというふうになったのである。どうせ使うものだからと、卯助が売りに行くのを待って買っていた家が、これで卯助を見離した。

ひとつの光景がお島の記憶にある。

酉《とり》の町の翌朝、本所元町に住んでいる惣兵衛《そうべえ》という男がやってきた。惣兵衛は金貸しである。際物師《きわものし》からの貸金の取立ては、酉の町の後という慣習がある。惣兵衛は慣習に従ってやってきたわけだが、卯助が「金はない」というと眼をむいた。

「どうも怪しいと思っていたら、やっぱりこのざまだ」

惣兵衛は土間に踏み込んで怒鳴った。惣兵衛は小柄だが広い肩幅を持ち、がっしりした躰で、艶《つや》のいい赤ら顔をした五十男だった。金は返せないなどと言おうものなら、鼻面《はなづら》ひき回しても取るものは取ると言われている。

「噂を聞いてないわけじゃないぞ、卯助。それでも何にも言わずに貸した俺の顔に、お前は泥を塗る気だな」

「そんなつもりじゃないが、金はない」

卯助は狭い土間に、惣兵衛と胸をつき合わせて立ち、俯《うつむ》いてぼそっと言った。卯助は若いときは細身で男っぷりがよく、女にもてた。四十を過ぎて賭けごとに身を持ち崩したいまも、その面影《おもかげ》を残しているが、表情は老《ふ》けて荒《すさ》んだ翳《かげ》がある。

お島は茶の間から顔だけ出して二人のやりとりを覗いていたが、父親の顔に、機嫌が悪いときに出てくる青黒い筋が盛り上って、眼の下の皮膚がひくひくと動くのをみた。

「文句はいらん」

惣兵衛は屋の内にひびく大声で言った。

「元利《がんり》揃えて、もらうものを貰《もら》いましょう」

「わかった」

甲走《かんばし》った声で言うと、卯助は飛び上るように土間から家の中に入り、茶の間の入口でお島を突き飛ばすと、そこに積んである売れ残りの何首烏玉《かしゅう》を両腕に抱え上げた。何首烏玉は、何首烏芋を玉にしたものを笹の枝に突き刺して並べ、輪に作ったものである。酉の町で売る。

「あんた、それをどうするんだよ」

おたねが上《うわ》ずった声をかけた。おたねは部屋の隅に小さく坐り、襟《えり》を開いておりつに乳をふくませていたのである。卯助は振り向きもしなかった。

「これを持って帰ってくれ」

卯助は鋭い声で言うと、いきなり惣兵衛の頭の上から何首烏玉を叩きつけた。惣兵衛が顔色を変えて摑みかかるのを、卯助は外に押し出し、外で二人の男は殴り合い、取っ組み合いに移った。寒い日射しが射し込む裏店の露地で、荒々しく躰をぶつけ合っている男二人が、お島には胸が潰《つぶ》れるほど怖かった。

「だが、あの頃はまだよかったんだ。それでも時々働いていたし、喧嘩はしてもおっ母さんや、あたしとお前を餓え死にさせまいと、どっかから金を持ってきたものね」

とお島は言った。

「だけど、それも間もなくおしまいになったのさ。あのじじいは、お前が二つになった年に女を作って逃げちまったんだよ。あたしを叩き売った金を持ってだよ」

「…………」

「人間のやることじゃないよ。あたしは売られたから恨んでるんじゃない。その金で親や妹が少しでも楽ができたというんなら、辛いけど我慢のしようもあるじゃないか。げんに同じ裏店でおろくさんという人は廓《くるわ》に売られたものね」

「その家も貧乏だったの」

「家とおっつかっつだったね。おろくさんはお女郎になったけれども、その金で親を養ったわけさ。ところがあたしは違うんだ。入船町の料理屋というところに、女中奉公だと言われて行ったのさ。十二の時だよ」

「……………」

「それが行ったら半年ぐらいで、客を取らされた。股のひろげようも知らない小娘がだよ」

「姉ちゃん」

「はい、悪かった。とにかくあたしはこのとおりの気性《きしよう》だから、約束が違うと喚《わめ》いたわけだ。そうしたらお前の親爺が万事承知で、金を受け取ったんだって叱られちまってね」

「…………」

「それでも、どうしても承知できないから、確かめようと家に行かしてもらったよ。料理屋じゃ逃げられると困るというんで、人をつけてね。家へ行ったら、親爺は逃げた後で、おっ母さんがお前を抱いてぼんやりしてた」

「お父っつぁんはどこに逃げたの？」

「わかるわけないだろ、そんなこと。だけど悪い噂があったんだよ、後で。その若い女というのは、親分と呼ばれている人の妾で、逃げるときに、親爺はその親分を殺そうとしたとか、殺しそこなったとかいう怖い話だったよ。いい年をして女にとち狂った人間だから、やることが怖いよ」

「それでいままで音沙汰《おとさた》なしだったわけね」

「どんな土地で、何やってきたか解らないんだからね。あまりお父っつぁんなんて近寄りなさんな。お前には悪いけど、向うじゃお前のことなんか、なんとも思っていないと思うよ。父親だなんて人並みの気持があったら、あんな真似はできるわけはないんだから」

「だったら、どうしてあたしたちをたずね当てて来たのかしら」

「ひとりだったってかい」

「ええ。自分で米をといでいたもの。ほかには誰もいなかったようだ」

「じゃ死に時が近づいて、心細くなったんだろうよ。ふん、それはそれでいい気なもんさ」

お島は壁から背を離すと、畳に横になった。

「ああ、疲れたよ。そろそろ寝ようか」

「姉ちゃん、乙次郎て誰のこと？」

「………」

「こないだ来た人相の悪い男が言ってたじゃない？　ねえ」

「お前、聞いていたのかい」

「うん」

「怖い人さ」

お島は眼をつぶったまま言った。行燈《あんどん》の火影《ほかげ》に照らされたお島の顔は眼がくぼみ、少し蒼ざめたように見えた。

「岡場所から足を抜くときに、その人を頼ったんだ。けど一緒に住んでみると、蛇みたいな男だった。姉ちゃん逃げ出したんだよ。そいつはそのすぐ後で、人を傷つけて島送りになったのさ」

おりつは微かに身震いした。年老いた父親が帰ってきたのとは話が違う、兇悪なものが姉と二人の暮らしに影を落としたのを感じたのである。

「ねえ、どうする？　その人ここへ来るの？」

「来るかも知れないね」

お島はやはり眼を開けないで答えた。

「来たときは来たときのことさ。何とかなるだろ」

「あたし怖いよ」

「姉ちゃんだって怖いよ。だけどここから逃げ出すわけにいかないだろ。屋台の煮売り屋から、やっとここまで漕ぎつけたんだ」

六

乙次郎は不意にやってきた。

お島は混んでいる店の中で、酒を注《つ》ぎながら客と話しこんでいたが、ふと気がつくと、入口を入ったところに男二人が立っていたのである。乙次郎と一緒にいるのは、この間厭味《いやみ》を言って帰った源吉という男だった。

お島は顔から血の気《け》がひくのを感じた。反射的におりつの姿を探した。おりつは、お島より先に男たちに気づき、やってきたのが乙次郎だと直観したらしい。手に銚子をのせたお盆を持ったまま、板場の前に立ち竦《すく》んでいる。眼を瞠《みは》り、その眼が瞬《まばた》きを忘れている。

乙次郎の顔は漁師のように赤黒い皮膚をし、頬が抉《えぐ》ったように殺《そ》げている。三十半ばに見えながら、髪は目立つほど白い。立って腕組みしながら、険しく光る眼をお島に注いでいた。

十人近い客が店の中にいたが、入って来た二人連れの客の異様に険しい表情に気づいたらしく、話し声は消えて、店はひっそりした。その中で、いつもの場所に坐っている卯助だけが、背をまるめて盃を啜《すす》り、さっきおりつが運んだ豆腐を、舌を鳴らして貪《むさぼ》り喰べている。

お島は立ち上り、襟もとを繕《つくろ》ってからゆっくり男たちに近づいた。

「なかなか繁昌《はんじょう》してるじゃねえか」

お島を迎えると、乙次郎は初めて声を出した。突き刺すような眼の光はそのままで、太い声だった。

笑顔も見せないで、お島が答えた。

「ええ、どうやらおかげさまで」

「帰れておめでとうぐらいは言わねえかい、お島」

「さ、どうかしら」

お島は真直《まっすぐ》胸を向けると、挑むように言った。

「おめでたいのかどうか、何とも言えないものね。それにあんたとは昔切れてるし、顔を知ってるってだけだから」

乙次郎が初めてにやりと笑った。すると殺《そ》げた頰が深く窪《くぼ》んだ。

「先手を打ったつもりだな、あま」

低い声だが、凄味《すごみ》のある科白《せりふ》だった。

「ま、いい。じっくり話そうじゃねえか」

乙次郎は飯台の方に歩いた。

「酒をくれ」

「お代は頂くよ」

乙次郎の頰がまた深く窪み、唇が笑いで歪《ゆが》んだが、無言だった。

「じじい、また来てやがら」

源吉が卯助を見つけ、通りしなに腰掛の足を蹴ったが、卯助は顔を挙げなかった。卯助は残っている豆腐のかけらを、箸《はし》でつまむのに熱中している。

「お酒持っておいで」

お島は、まだ呆然と男たちを眺めて立っているおりつに言った。

「怖がらなくともいいんだよ。人相は感心しないけど、まさか取って喰いもしないだろうから」

乙次郎がまた声を立てないで笑った。笑った顔のまま、乙次郎は、おりつの顔をじろじろみた。

「美人じゃねえか。手伝いの姐《ねえ》ちゃんかい」

「妹だよ」

おりつは顔をそむけて飯台に銚子を置くと、急いで板場の方に帰った。

「可哀想に、すっかり怯《おび》えてるよ」

「………」

乙次郎は答えないで、おりつの後姿を鋭い眼で追っている。その眼に邪悪な輝きのようなものをみて、お島ははっとした。

「話があるんなら、早くしておくれ。あたしゃこのとおり忙がしいんだから」

「………」

「もっともあたしの方には、別にあんたと話すことはないけど」

乙次郎は、漸くおりつから眼を離した。店の中に、またざわめきが戻ってきていた。お島が男たちに酒を注《つ》いでいるのをみて安心したようだった。

「話なんてものはねえよ」

乙次郎は無表情に言った。

「当分ここに置いてもらうだけで結構だ」

「冗談じゃないよ」

お島はのけぞるように胸を引いて、乙次郎を睨んだ。

「誰があんたなんかを……、あたしにそんな義理はないんだからね」

「おれも少々くたびれているのだ」

乙次郎はお島の剣幕《けんまく》をまったく無視して、言葉を続けた。

「島暮らしてえのはひどいもんでな。ゆっくり休みてえ。柳島の親分は、家にいてゆっくり養生しろ、と優《やさ》しいことを言ってくれるが、やっぱり窮屈だ。その点ここなら気兼ねはいらねえ」

「よしておくれ。お断わりだよ」

「それに親分とこに厄介《やっかい》になってちゃ、女もというわけにはいかねえ」

横で源吉が吹き出し、「ちげえねえや」と言った。

「その点ここならお前がいる」

「馬鹿にするんじゃないよ。女だと思ってひとを嘗《な》めやがって」

お島は荒々しく立ち上った。烈しい勢いに、蠟燭《ろうそく》の炎が音たてて揺れた。

「そんな話だろうと思ったよ。さ、話は終りさ、出て行っておくれ」

「坐んな」

乙次郎はじろりとお島を見上げて、圧《お》し殺した声で言った。

「それじゃ話はこれからだ。坐ってじっくりと聞きな」

「聞くことなんかないよ」

「いいから坐んな」

乙次郎は抑揚のない声で繰り返し、お島が坐るのを待って言った。

「なに、黙って居坐ってもいいのだ。だがどうしてもいやだというんなら、金を出しな。だいぶ溜《た》めてるそうじゃねえか」

乙次郎は兇暴な眼をした。本性を現わしたような言い方だった。

「それもお断わりだね。なんであんたに金をやらなきゃならないのさ。そんな義理はないって言ったろ。あんたとは縁が切れてんだ」

「立派な口をきくじゃねえか」

乙次郎はせせら笑った。それから不意に大きな声を出した。

「あそこから足を洗えたのは誰のおかげだと思っていやがる。でけえ口を叩きやがって。喉もと過ぎれば熱さ忘れるか。てめえがこうして商売していられるのは誰のおかげだい」

しんと静まり返った店の中で、不意に乙次郎は声を落とした。

「とまあ、こういうわけだ、お島。金が要《い》る。十両用意しな。今日とは言わねえ、二、三日あとでいいや」

「そんな大金、ある筈がないだろ」

「おい、大声で喚《わめ》いてもいいのか。ここのおかみは、昔入船町に住んで、股で稼《かせ》いでいた女だと、え？」

乙次郎は言葉を切り、入口の方をみた。

「あれは誰だい？」

卯助がいま店を出るところで、それをいつ来たのか牧蔵が来ていて、牧蔵に寄り添ったおりつと二人で見送っているところだった。

「誰でもいいよ。あんたなんかに係わりのない人なんだから」

「あの若え奴《わけ》は誰だい」

乙次郎は執拗《しつよう》に聞いた。

「生意気な面アしてるぜ」

源吉が酔った声で迎合するように呟《つぶや》いた。

七

「姉ちゃん」

洗い上げた皿を拭きながら、おりつはそばで青菜を洗っている姉に言った。

「どうしたんだろうね、あのひと」

「どうしたって？」

お島は悲鳴をあげるように言った。乙次郎は、あの後まだ姿を見せていない。あれから十日近く経っていた。

「あんな奴のこと、口にしないでおくれ。考えただけで腹が煮えるから」

「違うわ。お父っつぁんよ。この頃ばったり来なくなったじゃないか」

「ああ、じいさんのこと」

お島は水を切った菜を、笊《ざる》に移しながら煩《わず》らわしげに言った。

「来なくて結構だよ。大方《おおかた》気がひけて来られなくなったんだろうよ。どいつもこいつもろくでなしばかりだ」

「気にならないの？」

「え？　どうしてさ」

「病気で寝てるんじゃないかと思って、心配なの」

「お前も相当にしつこいね」

お島は、また新しい菜を、桶《おけ》の水に沈めながら、呆れたようにおりつを見た。お島は襷《たすき》がけで、肉づきのいい二の腕まで剝《む》き出しにしている。冷たい水のために、手は手首まで真赤だった。

「ほっときなって。そんなお前、簡単にくたばるようなしろものじゃないんだからね」

「乱暴ね」

「ああ、あたしは親だなどとこれっぽちも思っていないからね。ただの他人様《ひとさま》より、もっと気持が離れている」

「…………」

「おや、気に入らないようだね。涙なんか出しちゃって。前掛けで拭きな、布巾《ふきん》で拭いたりしないで」

「…………」

「そんなに気になるかね。自分じゃ親の味も知らないくせに」

「昼からちょっと行って、様子みて来ようかしら。行ってもいい」

「勝手におし」

お島は邪険《じゃけん》に言った。

「おぶさられたって知らないよ。あたしは引き受けないからね」

空は薄く曇っていた。町並みのあちこちに、近づく冬の先触れが蹲《うずくま》っているように、微かな冷えが空気に混じっている。それでも森下町の卯助が住む裏店に着いたとき、おりつは額《ひたい》に薄く汗をかいていた。おりつの足でも、横川町からここまでたっぷり半刻かかる。

昼にみると、一層貧しげな裏店だった。どの家も固く戸を閉じていたが、軒は傾き、戸の割れた後はそのままぱっくりと口を開き、入口の横には古びた木箱、束《たば》ねた襤褸《ぼろ》、得体《えたい》の知れない欠けた瀬戸物などが、乱雑に積重ねてある。午後の白い光が寒々とそれらを照らし、無人の裏店のように子供の声も聞えなかった。

水音がして、おりつは井戸の陰に人が蹲って洗い物をしているのに気づいた。近づくと四十過ぎに見える肥《ふと》った女がいた。肩に大きな継ぎあてをした粗末な綿入れを着ている。

「何か用かい」

おりつをみると、女は肌の黒い、丸い鼻をした顔を向けて、無愛想に言った。

「卯助さんの家はどこでしょう」

とおりつは訊いた。この前の夜、卯助が家を出入りしたのを見た筈だが、いま同じような灰色の戸を並べている裏店をみると、どこが卯助の家か解らなかった。

「そんな人いませんよ」

女は眼を盥《たらい》の中の洗い物に戻した。

「いないんですか」

おりつは眼を瞠《みは》った。

「どこか家を間違えてんじゃないかね」

「あのー、六十ぐらいのおじいさんで、いつも杖をついて歩く人ですけど」

「ああ、あのじいさんのこと。へえ、卯助っていうのかい」

女は初めて手を休めておりつを見た。

「名前なんか聞いたこともないもんだからね。それに、誰か若い人でも訪ねてきたかと思ったもんでね。じいさんの家なら……」

女は濡《ぬ》れた指を挙げて、その家を指した。

「あそこだよ。風邪《かぜ》ひいて寝込んじゃってるよ」

戸を開くと、敷居に鋭く軋《きし》む音が起こって、おりつにこの前の夜を思い出させた。同時に嗅ぎ馴れた匂いが鼻を衝《つ》いた。声を掛けたが答がないので、おりつは茶の間に上った。薄い布団《ふとん》にくるまって、卯助が寝ていた。長火鉢はあったが、茶箪笥《ちゃだんす》もない殺風景な部屋だった。燻《いぶ》したように茶色い格子窓《こうしまど》の障子《しょうじ》から、暗い光が部屋に射し込み、芋虫のように丸くなっている卯助の寝姿と、けば立った畳を照らしている。

枕もとに、丸い盆に椀と箸、小皿が乗って、椀に飯粒がこびりついているのは、裏店の誰かが病人の世話をしているものらしかった。卯助は口を開いて、仰向《あおむ》けに眠っていた。歯の抜けた口が黒い穴のように開き、頬はくぼんで卯助は死人のように見えたが、耳を近づけて聴くと、呼吸は穏やかだった。風邪は癒《い》えかけているのか、そうひどくはないようだった。

おりつは台所に行ってみた。米も味噌もあり、炭もあった。お金をどうしているのかしら、とおりつは思ったが、その詮索《せんさく》はおりつの手に余るようだった。店に来たときの酒の飲みっぷりから考えて、卯助が金を持っているとは考えられなかった。姉の話のように、いまも博奕をしているのかとも思ったが、卯助のような年寄りが、賭場《とば》に出入りするものかどうかも解らなかった。

部屋に戻ると、卯助は何も知らずに眠っていた。無惨な寝顔が、長い人生の旅に疲れて行き倒れている者のように見えて、おりつは胸が熱くなった。火鉢を調べると、炭火は消えていたが、かざした掌に仄《ほの》かな灰のぬくもりが移った。やはり誰かがこの病人の世話をしているのだった。

火を起こして火鉢に活《い》けると、おりつは帯にはさんだ財布を確かめてから、外に出た。

青物と魚を買って裏店に戻ると、さっきの女が、軒下に縄を張って洗った物を干《ほ》しているところだった。

「あの、お聞きしますけど」

「何だね」

女はやはり無愛想に、物を干す手を休めないで言った。

「卯助さんは一人暮らしなんでしょ?」

「そうだよ。ひとりぼっちさね、あの年でね」

「誰かお世話してくれたんでしょうか」

「ああ、店《たな》の者がね。誰ってこともないけど、ま、かわるがわるね。ひとりで風邪ひいてちゃ可哀想だからねえ」

「ふだん何して喰べてんですか、あのひと」

「さあ、どっかの番人をしてるって言ってるね。どこか知らないけどさ。病気さえしなきゃ毎日出かけてるねえ」

女は不意におりつをじっと見た。

「あんたは、ナニですか、卯助さんとどういう？　まさか親戚とかいうんじゃないだろうね」

親がむかし、卯助と知り合いだった、と言っておりつは女の眼を振り切った。

家に戻ると、卯助は同じ姿勢でまだ眠っていた。炭火のために、部屋がいくらか温《あたた》かくなっている。おりつは火鉢に手をかざして、冷えた指を温めたが、気がついて卯助の額《ひたい》にさわってみた。額はさほど熱くはなかった。

「ああ」

不意に声がした。卯助が眼を開いている。おりつは慌てて掌を離した。

「眼が覚《さ》めました？」

ああ、と卯助はまた喉に絡《から》んだ声を出した。卯助の眼は瞬きもしないでおりつを見ている。

「解りますか。あたしです」

おりつがいうと、卯助は低く唸った。

「夜のご飯をつくりますから、待っていて下さい」

とおりつは言った。姉の家を出たのが八ツ（午後二時）になろうとする頃で、いまは時刻はもう七ツ（午後四時）頃だろうと思われた。日足《ひあし》が短くなっている。家までの道のりを考えると、おりつは急に気ぜわしい気分になり、いそいで台所に立った。

飯を炊き、魚を焼き味噌汁を作りながら、おりつは、さっき女が言った「番人をしている」という言葉をしきりに考えていた。だが世間《せけん》にうといおりつの頭には、番人をしている卯助のどのような姿も浮んで来なかった。ただ卯助が、何がしか暮らしの足しになる稼ぎをしているらしいことは、いくらかおりつを安堵《あんど》させた。

飯の支度ができ上ったとき、おりつは手もとに暗がりがまといついているのに気づいた。日が暮れようとしていた。裏店の人たちが、卯助の面倒をみていると、さっきの女は言っていたが、この時刻になっても、誰かがこの家にやってくる気配はなかった。裏店はやはりしんとして物音がない。

行燈に火を入れ、背後から卯助を抱き起こして食事をさせた。卯助の躰はひどく匂った。背から、綿のはみ出た綿入れをはおらせると、綿入れも垢《あか》じみて臭かった。

「今度来たときに洗ってやる」

おりつは言ったが、卯助はおりつを見ようともせず、熱い味噌汁を啜っている。鼻を襲う臭気はおりつを辟易《へきえき》させた。だがそのために卯助を疎《うと》む気持はなく、哀れみが募《つの》った。卯助がいっしんにものを喰べているのに、おりつは満足した。

卯助が喰べ終るのを待って、もとのように寝かせ、おりつは盆にのせたものを持って立ち上った。台所に入ろうとしたとき、不意に背後で声がした。

「おめえが、おりつかい」

「え、そうよ」

おりつは撃たれたように振り向いて答えた。もっと何か言うかと思って、おりつは耳を澄ましたが、卯助は仰向いて眼を閉じ、そのまま大きな欠伸《あくび》をしただけだった。

静かにおりつは台所に入った。水を汲んで半ば手探りで椀や箸を洗いながら、おりつは眼に涙が膨《ふく》れ上るのを感じた。唇が顫《ふる》えそうになるのを、歯で嚙みしめた。今日初めて、父親に声をかけられたのだ、と思った。すると涙はさらに溢れてくるようだった。

後片附けを済ますと、おりつは言った。

「あと何か用はない？」

卯助は眼を開いたが、不明瞭な低い唸り声を出しただけだった。

行燈の火を吹き消すと、部屋は闇に包まれた。

「また来るからね」

おりつは闇に向って言ったが、卯助の声はなかった。

町は暗く、冷たかった。だがあちこちにまだ開いている店があって、その前だけが路の上まで明かるい光をこぼしている。道をいそぎながら、おりつは卯助のことを考えていた。おりつか、と聞いた声はしゃがれていたが、意外に歯切れがいい伝法《でんぼう》な口調だった。あれがあたしの父親なのだ、とおりつは思った。すると父親というものが、なぜか悲しいもののように思えてくるのだった。おりつの眼の裏には、薄い掻巻《かいまき》にくるまって、蓑虫《みのむし》のように、闇の中に丸くなって寝ている年寄りの姿が浮んでくる。

――あれがお父っつぁんなんだ――

と思った。

背後の足音に気づいたのは、清水町を過ぎて、新坂町と御用屋敷の境目に来たときである。不意におりつは、内臓を素手《すで》で摑まれたような恐怖に襲われた。足音は、南割下水《わりげすい》沿いに武者屋敷の並びをはずれ、三笠町にかかったあたりから、ここまでずっと二間《けん》ほど後に聞えていたのである。そのことに、いま初めて気づいたのだった。

走り出したおりつの背後で、足音が跳躍した。狂暴な力が腕を摑み、叫ぼうとした口をすばやく手が塞《ふさ》ぎ、闇に抱き取られたように、おりつの躰は突然宙に担《かつ》ぎ上げられていた。

八

五軒ほど右手に青物屋がある。閉めるのが遅いその店先の灯明りの中に、卯助の姿が浮び上るのをお島は店の前に立って見た。卯助の姿は、ゆっくり店の前を横切って、今度は手前の闇に沈んだ。

年寄りの足が遅いのに、お島はいらいらした。

「さ、お入りよ」

漸《ようや》く卯助が現われると、お島は手を引いて店の中に入れた。中にいて、所在なげに板場のそばに立っていた牧蔵が、すばやく寄ってきた。

「そっちの方にも、何の便《たよ》りもないんだね」

卯助をいつもの場所に坐らせると、お島はすぐに聞いた。牧蔵も眼を光らせて卯助を見た。

おりつが姿を消してから、今夜が三晩目だった。最初の夜、夜が更《ふ》けてもおりつが帰って来なかったときお島は、あの馬鹿が、と思って寝てしまった。おりつが卯助の家に泊ったと思ったのである。しかし次の日の昼になっても、おりつが姿を現わさなかったとき、お島は初めて心配になった。一度心配になると、異様に胸が騒いで、じっとしていられなくなったが、お島は卯助の住んでいる場所を聞いていない。牧蔵が働いている伊勢崎町の大工を、お島は訪ねて行った。

親方に無理を言い、牧蔵に卯助の家まで連れて行ってもらったが、卯助はまだ寝ていた。床《とこ》の中で卯助は、おりつは昨夜帰ったと言った。

「まさかあの子まで売り飛ばしたんじゃないだろうね」

お島は思わずカッとして悪態をついたが、卯助を責めてもどうなるものでもなかった。店へ帰ると、牧蔵に附き添ってもらって、町内の自身番に届けた。自身番に詰めている書役《かきやく》は親切そうな老人で、夕方には保太《やすた》という三十ぐらいの岡っ引を差し向けてきた。保太は口の重そうな男だったが、聞くことは手落ちなく聞いて帰った。しかしそれっきりである。

昨夜も今夜も、お島は店を開くには開いたが、常連の客に「おりつちゃんはどうしたい」などと聞かれるたびに、胸が締めつけられるように痛んだ。お島は少しでも手が空くと、店の前に出て夜の道を窺《うかが》っているのである。卯助は漸く風邪が癒えたらしく、今夜初めて店に顔を見せたのだった。

お島の激しい口調に、卯助は驚いたようにお島の顔を見たが、黙って首を振った。僅かに溜息に似た声を喉の奥に鳴らしただけである。お島と牧蔵は落胆した顔を見合わせた。

「もう少ししたら、また自身番に行ってみる」

と牧蔵は言った。牧蔵は眠っていないらしく、顔色は蒼ざめ、充血した眼をしている。

「お願いだよ。だけど、あんたも疲れているようだねえ」

とお島は言ったが、卯助に眼を移すと、その声はたちまち尖《とが》った。

「何だよ、その顔は」

卯助は一度坐った腰を浮せて、板場の方をいっしんに覗く眼になっている。お島の声にも振り向かなかった。

「情けないねえ。自分の子供が行方《ゆくえ》がわからないというのに、やっぱり飲みたいのかい。人間そこまでボケるもんかねえ。いやだ、いやだ」

お島は文句を言いながら、酒を運ぶために板場に行った。客は四、五人しかいない。淋しかった。頼りにもならないが、卯助がそこにいるだけでもいいと思い直したのである。

酒が運ばれると、卯助は嬉《うれ》しそうに手を揉《も》んだ。慎重に銚子を傾けて盃を満たすと、一息に飲んだ。卯助は眼を閉じ、喉の奥を満足そうに鳴らした。

「じゃ、ちょっと行って来る」

牧蔵が言って卯助の脇から立ち上った。「済まないね」とお島は言ったが、ふと妬《ねた》ましい気がした。牧蔵の思いつめた蒼い顔を見ると、この若者がおりつに注いでいる思いの深さが解る気がするのである。

――あたしには、そういう人はいなかった――

そう思いながら、お島は牧蔵の高い背に、もう一度「済まないね、牧さん」と声をかけた。

だが、牧蔵の足は入口で不意に止った。

戸が外から開いた。戸は開かれたままで、しばらく冷えた夜気を店の中に送り込んだが、そこからおりつが入ってきたのだった。

「おりつちゃん」

牧蔵は叫び、おりつに手を伸ばした。だが、おりつは怯《おび》えたように後に退《すさ》った。

「あたしに触《さわ》らないで」

おりつは囁くように言った。おりつの髪は乱れ、顔は血の気を失い、頬は尖って面《おも》変《がわ》りして見えた。

恐ろしいものを見るように、お島はゆっくりおりつに近づいた。

「どうしたの、おりつ」

おりつは眼を瞠《みは》るようにしてお島を見た。それから恐ろしい力でお島の着物を掴むと、しぼるような声で泣き出した。

「愁嘆場《しゅうたんば》だな」

太い声がした。

いつの間にか店の中に乙次郎《おとじろう》が立っていた。

「あんただったのかい」

お島はおりつを胸から引き剝《は》がすと、突き刺すような声で言い、乙次郎の前に進んだ。お島には一瞬にして事情が呑みこめたのである。この男が、妹をかどわかして慰んだのだ。

「おりつに、何をしたんだい。この人でなし」

「ありゃ可愛い女だぜ。暴《あば》れて手こずったがな」

乙次郎は平然と言い、お島の胸を指でつついた。

「女はもういいや。金をもらいに来たぜ」

お島の手が閃《ひらめ》いて、乙次郎の頬が鳴った。が、その手は苦もなく逆にひねりあげられて、お島は苦痛の声を挙げた。

「あま、俺を誰だと思っていやがる。蝮《まむし》と言われた男だぜ。欲しいものは必らず手に入れる男だ。おめえの腕をへし折るぐらいわけはねえ」

お島がまた悲鳴を挙げた。

「ちきしょう」

絶叫して牧蔵が、乙次郎に組みついた。だが乙次郎の動きには余裕があった。お島の躰を板場の方に突き飛ばすと、牧蔵をがっしり組みとめた。背丈《せたけ》は牧蔵の方が少し高い。だが乙次郎と組み合うと、細い躰だった。乙次郎は巧みに牧蔵を腰に乗せると、土間に叩きつけた。

一回転して牧蔵の躰は土間に落ちたが、すぐにはね起きて、乙次郎に向って行った。

「しつこい野郎だ」

乙次郎は舌打ちすると、ぐいと牧蔵の右腕を抱え込み、逆手をとるようにして、飯台の方に引っ張って行く。牧蔵は一度はふんばったが、すぐに苦しげに眉をしかめて曳《ひ》きずられた。

おう、という声が店の中に挙った。四、五人いた客は、突然始まった乱闘に、総立ちになったが、どう手出しをしたらいいか解らないままに、茫然と成行きを眺めていたのである。声は、乙次郎が懐《ふところ》から匕首《あいくち》を出し、片手で巧みに鞘《さや》をはずしたのを見たからだった。

乙次郎は抱え込んだ牧蔵の腕を飯台の上に乗せると、いきなり刃物を牧蔵の指の上にかざした。

「おい、お島。金を出しな」

乙次郎はさすがに息を切らした声で言った。

「出さねえと、この若造の指を切り離すぜ」

牧蔵が暴れた。すると樽《たる》の上に板を渡しただけの飯台が、がたがたと揺れた。

「野郎、切られたくなかったらじっとしてろい。おい、その親爺」

乙次郎はそっと入口の方に動こうとした客の一人を、すばやく見咎《みとが》めて威嚇《いかく》した。

「どこに行くつもりだい。人を呼んで来ようなんてのは悪い考えだぜ。命を粗末にしたくなかったら、そこに坐ってな」

乙次郎はまたお島に眼を戻した。

「どうした。金を出さねえってのなら、可哀相だが、こいつの指がなくなるぜ」

「待っておくれ」

漸《ようや》く立ち上ったお島が言った。突き飛ばされたとき打ったらしく、脇腹《わきばら》を押さえている。

「待てねえ」

乙次郎が咆《ほ》えた。兇悪な顔になっていた。乙次郎は牧蔵の腕を深く抱え直すと、右手の匕首《あいくち》を指にあてた。

突然瀬戸物が割れる音が、静かな店の中に響いた。卯助が立ち上っていた。卯助の右手には、底が欠けて鋭い割れ口を見せている銚子が握られている。

不思議なものをみるように、乙次郎は近づいて来る卯助を眺めて声をかけた。

「どうかしたか、じいさん。これはお遊びじゃねえんだ。近寄ると怪我《けが》するぜ」

だが卯助はゆっくりした足の運びを止めなかった。二人に近づくと、足をひらき腰をためるように落として、銚子を逆手に持ち替えた。

「お父っつぁん、やめて」

お島が叫んだのと、乙次郎が牧蔵を突き離して、卯助に向き直ったのが同時だった。卯助はそのまま踏み込んでいた。乙次郎の振った匕首《あいくち》が卯助の肩先を切り裂いたが、卯助はしっかりと乙次郎の胴に片手を巻き、伸び上るようにして、その頸《くび》に底の欠けた銚子を叩き込んだ。ゆっくりした動きに見えたが、卯助の躰のこなしには、どこか確かな手順をふんでいるような、馴れた感じがあった。兇器は誤りなく乙次郎の頸を切り裂いていた。

わっと叫んで、乙次郎は卯助を突き飛ばすと、よろめいて羽目板《はめいた》に背からぶつかった。頸から信じられないほど大量の血が噴《ふ》き出している。背を羽目板に凭《もた》せかけ卯助を見つめながら乙次郎は頸に手をやったが、そのままずるずると土間にすべり落ちた。押さえた指の間から、血が盛り上り溢れるのが蠟燭《ろうそく》の光の中でも見えた。

乙次郎の頭はがっくりと前に垂れ、足を長く前に伸ばして坐り込んだまま、一度大きく躰を震わせたあと、静かになった。

客の一人が自身番に走り、書役と岡っ引の保太が駈けつけたとき、店の中は元のままだった。保太は真直《まっすぐ》死人の前に進み、無造作に顎《あご》を持ち上げると、

「蝮《まむし》の乙って男だ。悪い奴だ」

と呟いた。それから手を離して店の中を見廻して言った。

「殺したのはどいつだ」

卯助が立ち上った。保太は卯助の前に進むと、ぐいと袖口をまくり上げた。蠟燭の

光に、青黒い二筋の入墨《いれずみ》が浮び上った。

「こいつは驚いた。前科《まえ》は何だいじいさん。盗みか？　掏摸《すり》か？」

保太は書役の老人に向って、

「あたしの手に余りますよ。すぐに河口の旦那に知らせなきゃならないが、その前にこのじいさんを連れて行きましょう」

と言った。

保太は客を帰し、お島たちには、店の中は人が来るまでこのままにして置け、と言った。それから卯助を振り返ると、

「じいさん、行くか。近いから縄は勘弁してやろう」

と言った。卯助は小さな声で「へい」と言った。

背をまるめて俯《うつむ》いた卯助が、二人の男にはさまれて闇に消えるのを、お島は見送った。そばで牧蔵に肩を抱かれたおりつが啜り泣いている。

「何にも言わないで行っちゃったよ」

お島が呟いた。

雁の声がした。空は曇ったままらしく、夜の町にぶ厚くかぶさっている雲の気配があった。雁の姿は見えなかった。

潮田伝五郎置文

霧がある。

その中で葦は、枯れたまま直立していた。骨のように白く乾いていた。葦は河原の上では、二、三十本ずつの、間隔を置く塊になって点在し、緩やかな岸の傾斜を這いおりると、そこではじめて密集する枯葦原となって、その先は浅い川の中ほどまで延びている。

男がひとり、河原に佇《た》っている。白い霧のために、男は影のように見えた。男の耳に川水の音が聞こえている。川は男が顔をむけている方角にぼんやりと見えている橋の下あたりから、急に浅くなっていた。流れが向う岸に片寄り、浅いところでは水苔に黒ずんだ石が透けてみえる。葦原の先端はそこまで延びていた。水はその周辺で絶えずざわめく音を立てている。

夜は明けていたが、霧のために明るくなるのが遅れていた。葦の塊の根もとのあたりには、夜の暗さが残っていた。

男が身動きした。橋を渡ってきた者がいる。橋を渡ってきた者は、ゆっくり河原に降りてくると、待っていた男との間に五間程の距離を置いて立止った。羽織を脱ぐと、その下から白い襷《たすき》が現われた。

霧の中で、二人の男はほとんど同時に刀を抜いた。しばらく睨み合った後、二人は気合いを掛けながら撃ち合った。技倆に差がみえ、闘いはそう長くは続かなかった。一人が足を斬られ、膝をついたところを、ひとりが肩口から斬り下げた。

潮田伝五郎《うしおだでんごろう》は、井沢勝弥の躰を這う痙攣がすべておさまり、勝弥が一塊の骸《むくろ》となって横たわっているのを眺めたあと、ゆっくりと襷、鉢巻をはずして捨てた。それから少し湿っている粗い砂の上に坐り、着物をくつろげ、袴を押し下げると、ためらいなく小刀を腹に突き立てた。

小刀を突き刺すとき、伝五郎が発した激しい気合いが、一瞬川音を切断したが、川はすぐにざわめきを取戻した。

日がのぼり霧が霽《は》れたとき、河原に二個の骸が横たわっていた。

一

それがし十二の年の春、道場の稽古から戻って、家の裏の流れで土に汚れた袴を洗っていて、母上に見咎められたことがござった。恐らく母上にはご記憶がござるまい。あの人に会ったのはその日でござる。

潮田伝五郎が、井沢勝弥に勝負を挑んだのは、道場を出て城下端《はず》れの野道を歩いている時だった。

神道無念流を教える塚本才助の道場は、城下町から十丁ばかり南に離れた村落にある。観音寺と呼ばれるものの、定まった住職もいない荒れ寺であって、才助は村役人からその寺を借りうけ、道場の看板を掲げていた。

才助は変った人間で、どこからともなく飄然とやってきて、その荒れ寺に棲《す》みついたのである。神道無念流の道場という噂を聞いて、市中の野瀬道場で師範代を勤める作間という若侍が試合を挑んだが、手一本足一本動かす間もなく打ち据えられた。野瀬道場は、城下でもうひとつの戸川道場と評判を分ける大きな道場である。作間はあまりに不思議で、再度立合いを所望したが、結果は同じだった。

作間について行った同僚が噂をひろめたために、塚本道場の名が挙《あが》り、城下から藩の子弟が通うようになった。七年前のことである。潮田伝五郎は四年前からそこに通っていた。

伝五郎が井沢勝弥に真剣勝負を言いかけたのは、道場の帰り道である。

理由は、井沢が伝五郎の粗末な衣服を嗤《わら》ったためである。伝五郎の家は、僅か十七石の軽輩だった。その上父の角左衛門が長年病臥している。母の沙戸《さと》は、夫の医薬を購《あがな》うために倹約に倹約を重ねていた。それでも伝五郎の道場稽古を休ませることはしなかったが、着る物も袴も丹念に継ぎをあてた。

井沢は三百石の上士の跡取りである。いずれ小姓組に召し出され、さらに父の職を継いで物頭にもすすむ家柄の人間だった。伝五郎より二つ年上の十四で、体も大きかった。

「刀は抜くな。素手でやれ」

声を掛けたのは広尾という少年だった。

「俺は真剣でもいいぞ」

井沢は、伝五郎を睨みつけて言った。底冷たい感じの美貌が蒼ざめている。

「生意気な奴だ。ガキのくせして」

「いや、刀は抜かん方がいい。事が大きくなる」

広尾も井沢と同じ十四だった。彼等には半ば大人の分別が具わっている。

「いいか潮田。抜いてしまえば生きるか死ぬかだ。先生にも迷惑が及ぶし、喧嘩口論で刀を抜いたではお上に申し訳が立たん」

広尾は伝五郎にむき合うと、諭《さと》すように言った。

「それに、親たちが嘆くぞ」

後から追いついた連中も加わって、十人余りの少年達が見守る中で、井沢と伝五郎は袴の股立ちを取り、組み合い、撲《なぐ》り合った。

勝負は初めから解っていたようなものだった。真剣勝負を言いかけられたとき、一度は蒼い顔になった井沢は、組み合うことにきまると余裕のある笑いを浮かべ、忽ち獰猛《どうもう》な力をふるいはじめた。

伝五郎は何度か地面に叩きつけられ、顔からも手足からも血を流したが、立ち上ると執拗に組みついて行った。少年達は伝五郎が投げられるたびに歓声を挙げた。

「何をしていますか、多喜蔵」

不意に鋭い声がした。

「あ、姉上」

一斉に振り向いた少年達の中で、広尾が言い、頭を掻いた。

「喧嘩ですよ」

その間にも、伝五郎は必死に井沢に組みついていた。眼が眩《くら》んだようになっていた。腰を入れて相手を投げようとし、たちまち井沢の重い体に押し潰されて、顔から地面にのめった。

「やめさせなさい、多喜蔵。勝弥さんも何ですか」

女の声が言ったのが、伝五郎の耳にも聞こえた。若く澄んだ声音《こわね》だったが、口調は厳しかった。

「おい、これまでだ」

広尾が二人の間に体を入れてきた。強引な手が二人を分けた。井沢を真中に包むようにして、少年たちが笑いながら立去ったあとに、伝五郎はひとり取り残された。

伝五郎はしばらく少年たちを見送ったが、やがて道から田の畔《くろ》に降りた。腕も胸も、脚も痛く、頭は熱を持ったように熱い。田植前で、田は一面に水を張っていて、その間を細い水路が走っている。水路の水は畔の草に溢れて澄んでいる。

水を掬って顔を洗った。泥と血を洗い落とすと、すり傷が急に痛んできた。

「これを使って下さい」

不意に声がした。深く澄んだ声音に、伝五郎は思わず顔を挙げた。

十五、六と見える若い娘が立っていた。娘の後に三十前後のもうひとりの女がいる。二人とも武家方の女と解る着付けと髪をしている。二人とも手に摘草を入れた籠を下げていた。

娘は手に鼻紙を持って、伝五郎に差し出していた。

「わたしは広尾多喜蔵の姉です」

娘はしっかりした口調で言った。

「どういうわけから、こんなひどい喧嘩をしましたか」

伝五郎は黙って紙を受け取ったが、娘の質問には答えなかった。黙って顔を見返しているだけである。

伝五郎の顔は、額と頬が大きく擦りむけ、血が滲んで紫色に腫れ上っている。年上の方の女は、娘の後から伝五郎の方を怯えた眼で覗き込んでいる。

「言いたくないのですね」

「はい」

と伝五郎は言った。

すると娘の顔に、不意に微笑が浮かんだ。黒眸《くろめ》がいたずらっぽく光り、白い歯がちらとみえた。娘の頬に刻まれた笑くぼを、伝五郎は瞬《まばた》きもしないで見つめている。

「仕方がないひとですね」

娘は畔に降りてきた。裾をつまんでしゃがむと、伝五郎の着物と袴をはたはたと手ではたいた。埃を落としたのだった。

「お嬢さま」

年上の女が咎めるように声をかけたのに、娘は振り向かないで、しゃがんだまま首を傾けて言った。

「あの人たちは体が大きいのですから、組み打ちをしてもかなう筈がありません。ね？　もうおやめなさい」

娘と連れの女が立去ったあとも、伝五郎はしばらく茫然と畔に立ち続けた。娘の着物からにおったいい匂いに、まだ全身を包まれている気がした。その香りに、伝五郎の頭は痺れて、井沢と組み合った体の火照《ほて》りを忘れている。

二

六年ぶりに七重どのと顔をあわせたのは、盆踊りの夜のことでござった。それがし十八で家督を継いだあの年のことでござる。

海坂城下の盆踊りは、大がかりな結構と、華麗さで近隣に聞こえている。

仕組み踊りと言い、それぞれの町内が早乙女、傘飾猿、ぬれ髪、菊慈童、力弥などと名付け、踊りの趣向を凝らす。一町内からひと組、百五十人から二百人の踊り子を揃えて、八ツ（午後二時）から夜の八ツ（午前二時）過ぎまで、延々と踊り続けるのである。

世話役、拍子木役、唄揚げ、提灯持ち、踊り子で一組をつくる。世話役は数人いて、踊りの進退を指図し、唄揚げは唄い手である。歌の文句は、毎年城下で文才を知られる人物に頼んで作ってもらった。

唄い手は一番から四番までいた。一番揚げと呼ぶ最初の唄い手には、高く太く、よく通る声の持主が選ばれ、二番揚げは細い声の人、三番揚げは芸者衆が唄い、四番は一番揚げの人物が再び唄う。

このようにして町々をめぐり、店々の前で踊る。

盆踊りの初期には、藩は風俗の乱れを心配して、たびたび禁止の触れを出したが、元禄以降には公けに許し、文政年間に入ると藩主自ら御用屋敷に踊りを呼んで見るようになった。初めは昼踊りだけ見たが、後には三十五組の踊りを見終って夜の八ツに及んだ。

こうした藩の取扱いの寛容さは、豪華な仕組み踊りの評判が他国にも聞こえ、盆踊りの時期には他国から人が集まり、海坂城下に落とす金が無視できない額にのぼったからである。

踊りが始まった三日目の夜に、伝五郎は見物に出た。希世《きよ》が一緒だった。希世は伝五郎と同じ御旗組に属する加納五郎左衛門の娘である。年内に祝言を挙げることになっていた。希世を同道するように勧めたのは、母の沙戸である。

長い間重い胃病で倒れていた、父の角左衛門が春先に死に、伝五郎が家督を継いでいた。希世との縁談は、角左衛門の生前から内々で話があったが、死後、話は急にまとまった。希世は伝五郎よりひとつ年上だった。おとなしい女である。

「来た。間にあってよかったな」

と伝五郎は言った。

北陸屋という海産物問屋の店先である。店先も向い側の商家の軒先も、真黒な人だかりだった。人は二階の窓からも顔を出し、屋根の上まで、上っている人影が見える。重なりあった人影を、北陸屋で店先に出している高張提灯が照らしている。

伝五郎が希世にそう言ったとき、人々がどよめいた。鍵町の角を曲って、盆踊りの行列が姿を現わしたのである。

「布引町が先頭だぜ」

と誰かがそばで大きな声を出した。行列の先頭に二張りの高張提灯が立ち、ゆっくりと近づいてくる。高張提灯には町名が太く墨書きしてあった。

踊りは大踊り、中立、ドサの三種がある。大踊りは踊り子二百人が男女それぞれ揃いの衣裳で装おい、奴踊、御所車と趣向を凝らした唄と踊りを披露する。中立は人数が多少落ちるが大踊りに準じたものであり、ドサは下級武士の一団が紙の仮面をつけて踊った。ドサは衣裳も所作も道化て、これはこれで人気がある。

伝五郎もドサに誘われたが断わった。しつこく誘われたが、踊りは性分に合わない。

踊りは布引町の大踊りから始まった。

踊り子が揃ったのをみて、拍子木が鳴ると踊り子が一斉に掛け声をかける。北陸屋の前につくった高い台の上で、一番揚げが唄い出した。何年も唄っているらしく渋い喉である。中年の男だった。

女は白地に大輪の花模様、男は藍染めに白く波を染めぬいた揃いの着物を着ている。列を作った踊り子が、唄につれて踊り出すと、派手な衣裳が波のように動き、地を摺る草履の音が鳴った。

一番揚げの唄が終ると、再び拍子木が鳴った。すると踊り子たちはまた威勢よく声を挙げた。男の掛け声を女の踊り子が受ける。そして次の瞬間、若い男女の踊り子たちは一斉に上衣の片肌を脱いだ。下は男女とも、夜目にも眼を刺す緋の襦袢を着込んでいた。

見物の人々がどっと声を挙げる間に、二番揚げが唄い出し、踊りは次第に熱気を孕んできていた。

「きれいですこと」

希世が囁いた。希世は人に知れないようにして、伝五郎の袂《たもと》先を握っている。白く、どちらかといえば表情に乏しい希世の顔が、火明りに照らされて少し興奮しているように見える。伝五郎は母の沙戸が、希世を連れて行けと言った理由が、初めて解ったような気がした。

希世は無口で、ひっそりした性格の女である。縁談がまとまった後でさえ、伝五郎と顔をあわせても、それらしい親しみを表情に出すということもなかった。無表情に丁寧な辞儀をして通り過ぎるだけである。

今夜の希世は、いくらかふだんと違っていた。唄と踊りに押し出されて、伝五郎に寄り添ってきている。

だが伝五郎には、くすぐったいような感覚があるだけだった。希世が握っている袂を、そっと引っ張った。薄暗がりだからと、こんなに寄り添っていいものではあるまい。

――人眼がある。

と思った。

縁談が決まったあとも、希世にはことさらな変化がみられなかったが、それは伝五郎の方も同様だったと言える。

親が選び、親同士が運ぶ縁談を、黙って眺めていただけである。同じ御旗組の長屋うちのことだから、希世本人のことも、希世の家のことも、日頃見聞きしていて大体わかっている。もの珍しいことは何もないという気がする。

縁組みの話が持ち上ったころ、伝五郎の胸の中に、悲哀と呼んでもいい痛切な思いが動いた時期があったが、その一人の女性を想った感情は、恥ずべきもののように、底深く隠され、いまは思い出すこともない。

母が、希世を気に入っていた。それだけで十分だった。縁組みというものは、このようにして運ばれ、夫となり妻となるのだろうと、伝五郎は思うだけである。

踊りは中立が過ぎ、ドサが廻ってきていた。僅かな人の隙間を見つけて、伝五郎は前に出た。伝五郎は小柄で、希世と並ぶと背丈が同じぐらいである。

胡粉《ごふん》を塗った仮面をつけた集団が、踊り狂っていた。手を振り、腰を突き出し、滑稽で達者な踊りだった。見物の人たちが笑うと、踊りは一層卑猥に、誇張した動きを加える。

「おい、伝五」

激しい勢いで、地を踏みならし、体を廻しながら、伝五郎の前に来た踊り子が、仮面の下から声をかけた。汗が匂った。

「女連れとは隅におけんぞ」

言ったかと思うと、仮面の踊り子はハッ、ハッと掛け声をかけながら、体をくねらせ、差しあげた手を振りながら、踊りの渦の中に戻って行った。

「どなた様ですの？」

と希世が訊いた。

「樋口だな、あの声は」

苦笑して伝五郎は言った。

眼の前で踊り狂っているのは、うだつの上らない下級武士の一団だった。日頃の鬱屈を発散させるように、唄の文句も踊りも思いきり崩し、猥雑な空気を撒き散らしている。町人の仕組み踊りが上品で華麗なのと対照的だった。

だが、十八の伝五郎は醒めた眼で踊りをみている。

──子供の頃はあった。

と思う。眼の前で踊っている連中が抱えている鬱懐《うつかい》、別の言い方をすれば、志といったものが、である。絶えず心を焼くものに衝き動かされて、剣を学び、漢籍を学んだ。

だがあるとき、内部で何ものかが折れた。そのことを伝五郎は誰にも言うことが出来ない。以来押し流され、いま傍らにどこか愚鈍な感じさえする希世がいる。希世は、それとない伝五郎の合図にも気づかぬように、まだ袂の先を握っている。希世が言った。

「戻りましょうか」

踊ったまま、ドサの後尾が遠ざかり、小さくなっていた。

三

人垣が崩れ、動き出していた。

人の動きは、踊りを追って次の町へ行く者と、家へ帰る者とがぶつかり合い、広い路にとりとめないざわめきを生んでいる。

その雑踏の中で、不意に声を掛けられた。

「潮田さまではございませんか」

希世の手を摑んだまま、伝五郎は茫然と立ち竦《すく》んで女の顔をみた。

女は広尾多喜蔵の姉七重だった。小女をひとり連れている。七重はいま六百四十石の上士菱川家に嫁いでいる。菱川家の当主多門は、二年前組頭から中老職に進み、藩政を動かしている実力者だった。七重の夫である多門の子息庫之助も、いまはまだ小姓組にいながら、次の藩政を担うものと嘱望されている人物である。七重は聡明で美しい容姿にふさわしい家に嫁入っていた。

「…………」

「お忘れですか。広尾の七重ですよ」

「いや、忘れてはいません」

伝五郎はあわてて言った。頭が少し混乱していた。七重に会うことはもうないものと思っていたし、それに七重が自分の名前をまだおぼえているとは夢にも思わなかったのである。

「あまりに思いがけないもので」

伝五郎は無器用に言って、手で額の汗を拭いた。体が石のように硬くなっているのが解る。

七重は笑った。ちらりと見えた鉄漿《かね》で染めた歯が、七重が紛れもない人妻であることを示している。七重は以前にくらべて、いくらか肉づきが豊かに変ったようにみえたが、黒く濡れたような眼、笑ったとき頬に刻まれた笑くぼは昔のままだった。声も娘の頃のように澄んでいる。

「お連れの方は……」

ついと体を寄せてきて、七重が小声で囁いた。いい匂いが伝五郎を包んだ。

「奥様かしら？」

「いや、違います」

伝五郎は思わず言った。惑乱が続いていた。七重の大胆な挙措《きよそ》と近々と迫る匂いが心を乱している。

「これは親戚の娘で」

「私、よく思い出すのですよ」

七重はまた頬に笑くぼを作った。瞳がからかうようないろを帯びて、伝五郎を見つめている。

「あなたが井沢の勝弥さんと喧嘩したときのこと」

「……………」

伝五郎は眼を逸《そ》らした。不快な名前を聞いたと思った。不意に惑乱から覚めた気がした。井沢のことを言った七重の言い方が、親しげに聞こえたからである。

「あれから喧嘩はなさいませんか」

「ええ、ま」

伝五郎はあいまいに答えた。

七重と別れると、伝五郎は希世と連れ立って狐町の組屋敷に歩き出した。

大通りには、まだ通りすぎた踊りの余熱のようなものが残っていて、あちこちに灯《とも》を点している家もあった。だが商人町から武家屋敷が密集する一角に曲ると、道は急に暗くなった。狐町は、この先にある。

「暗いな」

「はい。提灯をお持ちすればようございました」

暗い路で、二人は短い言葉をかわした。

春の野道で井沢と格闘してから、伝五郎は四、五回七重の家に招ばれて行っている。多喜蔵に招ばれたのである。

二つ年上の多喜蔵は、あの喧嘩以来伝五郎が気に入ったようだった。塚本道場でも眼をかけた。広尾の家は三百六十石で、多喜蔵の父郷右衛門は奏者を勤めていた。奏者は幕府や京都の御所に、藩の公式の使者として赴くのが役目である。そのため郷右衛門は始終家を留守にしていた。

広尾の家では、双六《すごろく》、歌合わせ、郷右衛門の京土産だという賀留多《かるた》遊びなどをやった。七重や、多喜蔵の弟も加わり、自由な空気があった。郷右衛門の勤めが、城勤めでなく、また留守がちだったために、そういう家風が生まれたように見えた。

伝五郎は遊びにはあまり興味がなかった。むしろ苦痛なほどだった。人並みに出来るのは双六ぐらいで、ほかはいちいち広尾に教えてもらわないと出来なかった。時どきしくじって、七重に笑われるのは辛かった。

家柄も育ちも違うことが、身にしみて解り、身の程知らずなことをしている気がした。それでも広尾に誘われると、伝五郎は行かずにいられなかった。七重のそばにいるだけで、言葉を交わさなくともしあわせだったからである。

ある日、広尾について行くと先客がいた。井沢勝弥だった。井沢は大人びた風にゆったり坐り込んで、七重と話していた。伝五郎をみると、

「おや、狐町か。こういう場所にも出入りするのか」

と露骨に厭味を言った。

「勝弥さん、あなたはまた喧嘩を売るつもりですか」

七重がきつい口調で叱った。

「いえ」

勝弥は丁寧に頭を下げた。

「そんなつもりはありませんよ。ご安心下さい。ただあんまり珍らしい人物を見たものだから」

井沢の家と広尾家は、遠い姻戚関係にあると聞いていた。伝五郎は怒りを押さえたが、井沢の七重に対する自由な物言いが羨ましい気もしたのだった。七重の前では、一塊の石でしかない自分にひきくらべたのである。

井沢勝弥と顔を合わせてから、伝五郎は広尾多喜蔵の誘いを断わった。井沢は道場でも鎬《しのぎ》をけずる相手だった。初めは井沢の方がはるかに腕が上だったが、近頃は伝五郎が追いあげ、ほとんど並んでいる。そのことに井沢はこだわっていた。

そうしたいきさつのほかに、伝五郎は井沢の中に、軽輩の者を卑しむ気持があるのを強く感じ取っていた。井沢は、ときに露骨にその感情を眼にみせ、口にする。

七重の前で蔑すまれるのは耐え難いと思った。まして、七重に対するひそかなもの思いを覚《さと》られたら、恥辱のために腹を切るしかないだろうと思った。その懼《おそ》れのために、伝五郎は広尾の家から遠ざかった。

だがその時期に伝五郎が、広尾の家から離れたのは賢明だったのである。年が明けた春、七重は当時組頭だった菱川家に嫁入った。

組頭は六百石以上の家柄の者が勤め、才幹のある者は中老にすすみ、やがて家老職にものぼる。菱川家の当主多門繁幸は、いずれ中老にすすみ、藩政に参画する人物と家中に思われていた。伜の庫之助倫幸《みちゆき》は、七重を嫁に迎えたときまだ二十だったが、少年の頃から英才をうたわれ、藩中の若者の異常なほどの憧憬を集めている人間である。漢学の造詣が深く、剣は城下第一の道場戸川門で一刀流の奥儀を究めていた。小姓組に属していたが、庫之助が、父多門の跡を引き継いで、いずれ藩政の枢要《すうよう》の位置に坐ることを、疑うものはいない。

伝五郎は、七重の縁組みを聞いた日、狐町の背後を流れる赤目川の岸に出た。御旗組の長屋がある狐町は、城下の端れにある。赤目川の川向うには、田圃がひろがっている。田はまだ田起しの前で、去年の草の枯色がひろがる中に、嫩草《わかくさ》の淡い緑が混じっていた。

川は勢いよく流れていた。遠い山の雪解けの水を運んで岸に溢れ、葦の芽を水底に隠していた。のびやかな日射しが、水流と田の面を静かに照らし続けていた。

一刻ほど、伝五郎は赤目川の岸に蹲って、身動きもしなかった。菱川庫之助に対する嫉妬は不思議なほどなかった。庫之助は、伝五郎も日頃尊敬している人間だった。眉目秀麗、長身の人だという姿も、噂に聞くだけで見たことはない。

七重どのには似合いの人物だろう、という気さえする。だがそれとは別に、断たれたもの想いの痛みが、胸の中にあった。七重に対して、大それた望みを持ったつもりはない。いえば菱川庫之助に対する憧憬と、そう変りない感情を抱いただけである。

——それがこのように辛いのは、七重どのが女であるためであろう。

伝五郎は、痛みに耐え抜いた胸の空虚に、不意に風が吹き込み、通りすぎるのを感じながら、そう思ったのだった。

「おきれいな方でしたこと。さっきの方」

不意に希世の声が、伝五郎のもの思いを断ち切った。道は狐町に入っている。

「友だちの姉だ」

「どちらの奥さまでございますか」

「菱川中老の家の方だ」

と言ったが、伝五郎は不意に希世がひどく遠い距離にいる人間のように感じて、思わず振返った。闇は深く、希世の顔は白い面輪《おもわ》がわかるだけで、表情はさだかでなかった。

四

辛卯《しんぼう》の大変があったのは六年前。さよう、天保二年の暮れのことでござったのを、母上もお憶えがござろう。それがしがそのことを聞いたのは、あの夜勤めを終って家に帰るべく、城を下る途中でござった。

御旗組は月に二度城中に勤務し、馬印を納めた長持を守護する。長持は昼夜守護され、朝の五ツ（八時）に勤務につき、夜の五ツ（八時）に交代するのである。

その夜伝五郎は、交代を済ませて同僚三人と大手門まできた。寒い夜で、寒気が衣服の上から肌に突き刺さってくる。

「降って来そうだな」

真島彦助という同僚がそう言って、大きなくしゃみをした。霙《みぞれ》が、悪くすると雪が降りそうな暗く冷えた空が頭上にひろがっていた。

「お、あれは何だ」

不意に一人が言った。四人とも眼を瞠《みは》った。

門の前に篝火《かがりび》が燃え、黒い人影が慌しく動いている。

近づくと槍を持った二、三人の武士に制止された。

「いずれへ参る」

武士たちは襷をかけ、白い鉢巻を締めている。立止った四人のそばを、二十人ほどの一団が門の外へ駈け去った。異様な空気があたりを支配している。

「いずれへとはおかしいではないか」

平田という同僚がむっとしたように言い返した。

「家へ帰るにきまっている」

「身分とお名前を承りたい」

「おかしいな」

平田はますます膨《ふく》れ面になって、一歩槍先に近づいた。

「貴公ら、どういうお役目か知らんが、少し無礼ではないか。そっちこそ先に名乗るべきではないか」

「まあ待て、平田」

年輩の真島が平田を押さえて言った。

「我らは御旗組の者で、いま勤めを終って城を下るところでござる。御旗組の真島彦助と申す」

「潮田伝五郎でござる」

次々に名乗ると、武士は「暫時待たれい」と言って、一人が篝火のそばに戻った。そこは床几《しょうぎ》に腰をおろしている人間がある。離れて行った一人が、床几の人物に何か話している間も、残った二人は油断のない眼を光らせて、四人に槍を突きつけている。

「どういうことだ、これは」

平田が腹立たしそうに呟いたとき、篝火のそばの人間が立ち上って歩いてきた。小柄な老人だった。羽織を着て、この老人だけが平服である。

四人の前に来ると、老人は手をこすり、洟《はな》をすすって、

「今夜は冷えるのう」

と言った。四人はあっけにとられて老人を見つめている。

「いやお役目ごくろう。それがしは徒目付《かち》の曾根権兵衛でござる。大目付の芦野様の指図で、門を固めておる。ちと事件があってな」

「…………」

「そこで、まことにお気の毒だが、もうしばらくここにいて下さらんか。すぐに事情が知れ申そう。そうなれば帰して進ぜる」

「…………」

「ま、火のそばにでもござれ。すぐに帰してやりたいが、芦野様の指図で、この門を一人も出入りさせてはならんと言うことでな」

「ご老人」

伝五郎が言った。

「何ごとが起こったのでござるか」

「くわしくは知らんが、上つ方で争いがあったようだの。菱川様のお屋敷、ほか二、三のお屋敷で斬り合いがあるらしい」

老人は洟をすすった。

「前代未聞のことじゃ。この寒い夜中に」

老人の呟きを、伝五郎は最後まで聞かなかった。

あ、待て、という叫び声を聞き流して、一散に門を走り抜けた。菱川家の屋敷は大手門から遠くはない。濠を東南に曲った場所にある。暗く静まり返っている濠を右側に見ながら走り続けた。

間もなく明るい光が見えてきた。菱川家の門前を固めている人数が持つ、提灯のあかりだった。高張提灯も二本立っている。近づくと提灯の光は濠の水面にも映って、昼のような明かるさだった。

菱川家の門は、八文字に開かれている。門の内外には三十人以上とみられる襷、鉢巻の人数がいる。大目付の支配下にある徒組、足軽組の者たちであろう。

門を入ったところに、陣笠をかぶった人物が立ち、声を張り上げて叫んでいた。

「双方とも鎮まれ、刀を引け。お城そばで何ということじゃ。お上に相済まんと思わんか。刀を納めろ」

その声を弾《は》ね返すように、刀を打ち合う音が門まで聞こえてきた。

隙をみて門の中に飛び込むと、伝五郎は玄関から家の中に走り込んだ。後でどよめきが起こったのを構わずに、式台から廊下に上った。庭の植込みの中で二人の武士が斬り合っているのが、提灯のあかりで見えた。あかりは暗い家の中まで射し込んで、ぼんやりと間取りが識別できる。

廊下に一人倒れている。茶の間と思われる部屋の障子を開くと、そこにも刀を握ったまま一人の侍が倒れていた。

座敷に踏み込んだとき、激しい刃交ぜの音が起こった。

「菱川どのに、ご助勢仕《つかまつ》る」

と伝五郎は言った。

「何者だ」

落ちついた声が言った。

薄闇に馴れた眼が、一人の長身の男を囲んで、三人の男が剣先を揃えて対峙《たいじ》している姿を映した。長身の男は、白い寝衣のままである。寝巻の胸が黒く汚れている。

「七重どのの親戚のものでござる」

咄嗟《とっさ》に伝五郎は言った。

「それは有難い」

庫之助と思われる長身の男が、やはり落着いた声で言ったとき、

「貴様」

突然一人が反転して伝五郎に斬りかかってきた。伝五郎は抜きあわせた。ぐいぐいとすさまじい勢いで押してくるのを、茶の間に誘い込んで、伝五郎は反撃に転じた。同時に打ちおろしてきた、敵の刀身の唸りを耳のそばに聞きながら、伝五郎は体を沈めて二の太刀を打ち込んだ。

骨を斬り割った鈍い音がし、敵の体が突き飛ばされたようにのけぞって、背から壁に打ち当った。伝五郎の刀は敵の膝を斬ったようだった。ずるずると壁を背でこすって尻から落ちた敵は、そのまま立ち上れず、呻き声を洩らしながら、必死に刀を構えている。

「ここはよい。水屋の方を見てくれ」

座敷に戻った伝五郎に、庫之助が声をかけた。

「女子どもは父上と一緒に逃がしたが」

斬り込んだ敵の刀を受け流し、大きく位置を変えながら、庫之助は言葉を続けた。

「七重が、逃げ遅れたかも知れん」

伝五郎は茶の間を駈け抜け、玄関から水屋に走り込んだ。

「誰じゃ」

弱々しい声が、伝五郎の足音を咎めた。水屋の隅に蹲っている七重の姿を、伝五郎は明り取りを透してくる淡い火影の中に認めた。七重は小さく蹲ったまま、小刀を構えている。白い寝巻を着ていた。

「お静かに」

伝五郎は囁いて、そっと足をすすめた。

「潮田伝五郎でござる。助勢に参りました」

ああ、と嘆声を洩らすと、七重は小刀を板の間に落とした。そのまま柔かく体が崩れる。

「ご安心めされ」

伝五郎は囁いて七重の体に手を触れた。しなやかな肉の感触が、伝五郎の手にまつわりついてきた。伝五郎は突然体が顫《ふる》え出すのを感じた。

「それがし、かくまって進ぜます」

寒気に襲われたように、歯を鳴らしながら言うと、伝五郎は七重の体を背負った。七重は、ぐったりと伝五郎の背に体の重みを預けたままだった。血が匂うのは、七重がどこかに手傷を負っているのである。だがそこまで心が届かないほど、伝五郎の心は上ずっている。

それでも水屋から裏庭に下り、塀の隅の潜《くぐ》り戸から屋敷の外に出た。冷たい夜気に頬を撫でられて、伝五郎は漸く気を取り直した。

――うかつな場所には運べぬ。

という気がした。

七重の様子の異常さも胸を衝いてきた。医者に運ぶのがよい、と思ったが、すぐに途方に暮れた。医者の家がどのあたりか、見当がつかないのである。何者が菱川家を襲ったのか、誰が敵かも解らない以上、近くの屋敷に駈け込むということも憚《はばか》られた。

暗い道を、伝五郎は急ぎ足に歩いた。左右の上士屋敷は固く門を閉じ、黒々と塀をめぐらしているばかりで、明りの洩れている家はない。

——長屋へ連れて行くしかない。

ついに伝五郎はそう判断した。家まではかなり距離があった。七重の体は重い。だがその重みは、伝五郎の心を膨《ふく》らませている。

冷たいものが頰を打った。まばらな雨だった。

「さむい」

背中の七重が呟いた。不意に襲ってきた七重の体の顫えが、伝五郎を驚かせた。

町は石榴《ざくろ》町に差しかかっていた。小流れがあり、橋が架かっている。その橋を渡ったところに地蔵堂があるのを伝五郎は思い出した。橋を渡って狭い境内に走り込んだとき、音を立てて驟雨《とおりあめ》がやってきた。

堂の扉を開くと、伝五郎は黴《かび》くさい畳の上に七重の体を降ろした。

「どこを怪我された？」

伝五郎は手早く肌脱ぎになり、肌着を切り裂きながら、訊いたが、七重はかすかに呻いただけだった。手探りして、伝五郎は七重の傷を改めた。白く地に飛沫《しぶき》を上げる雨が、僅かな光を手もとに運んでくる。手傷は左腕の附け根だけのようだった。袖が血に塗《まみ》れて、傷口に貼りついている。

伝五郎は切り裂いた布で傷口を縛った。

「さむい」

また七重が呟いた。七重の歯が鳴った。手をあてると、火のように熱い額だった。不安のために、高い動悸を打ち続ける胸をなだめながら、伝五郎は囁いた。

「ご安心めされ、伝五郎がおります」

裸の胸のまま、横たわって静かに七重を抱いた。伝五郎の腕の中で、七重の悪寒《おかん》は少しずつ納まって行くようだった。

五

七重どのが、榛《はん》ノ木の茶屋で、密かに男と会っていると聞いたのは、昨夜のことでござる。さよう、そのように知らせたのは希世でござる。その男が井沢勝弥であると希世が告げたとき、それがし即座に果たし合いを覚悟致し申した。これを男の妬《ねた》みとはお取りなされまい。七重どのは、それがしにとって神でござった。かくのごときものを宿命と申すべきでござりましょう。わが神を汚すものは、井沢であれ、他の何びとであれ、わが前に死ぬべきものでござる。また希世を責めてはなりません。希世は女の性《さが》にしたがい、なすべきようにしたまででござる。さて、この文をしたためる前に、井沢に果たし状を送り申した。ことがまことか否かは、明朝赤目川の河原に井沢が来るか否かで相わかることでござる。井沢も武士なれば、卑怯未練な素振りは致すまい。


「男が先に出、しばらくして七重さまが茶屋を出られました」

「その男が井沢勝弥だというのだな」

伝五郎は暗い眼で希世をみた。

「はい」

「しかし、二人はその日何か相談があったのかも知れんな。両家は遠いながら親戚だ」

「二度や三度ではありませぬ」

「そなたは」

伝五郎は絶句し、漸く言葉を続けた。

「そのようなことを、自分で探ったのか」

「いいえ、人の噂でございますよ」

「…………」

「ご城下で隠れもない噂です。殿方はご存じないようですけれど」

勝ち誇ったように希世が言った。その口調の確かさが、伝五郎を戦慄させた。井沢勝弥によってもたらされた、七重の汚辱は、もはや疑いようがなかった。希世の眼に憎悪が燃えているのを、伝五郎は懼《おそ》れるように見た。

——希世は、地に堕ちた七重どのを土足で踏みにじりたがっている。

と伝五郎は思った。なぜもっと早くこのことに気づかなかったろうか、とも思った。しかしすぐに無力感が伝五郎をとらえた。希世を娶るはるか前から、伝五郎は七重の囚われ人だったのだ。

辛卯の大変と呼ばれる凄絶な政争があったのは、六年前である。

事情は後に判明したが、中老の菱川多門、筆頭家老浅沼宮内が手を結んで進める藩政改革に、終始反対を唱えていた保守派の次席家老本郷八郎兵衛、支城鐘ケ井城城代河鍋三左衛門、組頭朝海主馬が、一挙に主流派を抹殺し、藩政を握ろうとしたのが真相だった。

しかし襲撃は、浅沼家老が重い手傷を受けて、半年ほど寝込んだだけで失敗し、反対派はそれぞれ切腹、閉門、蟄居《ちっきょ》、追放の処分をうけて潰滅した。

城下を愕《おどろ》かせた事件は、いつとなく忘れられ、六年経ったいまは、筆頭家老の位置に浅沼の子息吉之丞が坐り、中老に菱川庫之助が就任して、改革派の藩政はゆるぎないものになっていた。

とくに弱冠三十四歳の中老がすすめる新田開拓は、長大な吉兵衛堰《ぜき》が完成して、疲弊の底にある藩財政を立直させようとしていた。

辛卯の大変の夜、七重を屋敷から救い出してから、伝五郎は七重に会っていなかった。あの夜、地蔵堂の闇の中で、ほとんど肌を接するまで寄り添ったことも、事件が通り過ぎてしまえば、一ときの甘美な夢のようで、あったことが信じ難かった。

ただ余韻が残った。遠い鐘がひびくように、あの夜四肢をゆだねた七重の記憶が、伝五郎の胸の中に時おり微かに鳴りひびく。その記憶だけで伝五郎は満ち足りていた。

才幹のある夫がいて、七重はその妻だった。それでよいという気持が伝五郎にはある。七重が幸福であることを、遠くから眺めているだけでよかった。

「七重どのは、するとしあわせではないのか」

と伝五郎は言った。その疑念が、不意に心に射し込んだのである。七重が多情な女だとは思いたくなかった。

「よそさまのことは、存じ上げませぬ」

にべもなく希世は言った。希世は娘の頃にくらべて、幾分痩せた。表情の乏しい顔の中で、眼だけが生きて、伝五郎を刺してくる。

この女を、愛したことはなかった。

「そなたは、七重どのを憎んでいるのだな」

「はい」

希世は眼をそらさずに答えた。伝五郎は沈黙した。希世の憎悪は正当だと思ったのである。ただ希世は的を間違えている。憎悪の矢は真直《まっすぐ》俺に向けられるべきなのだ、と伝五郎は思った。

七重に対する俺の感情を、希世がいつから気づいたのだろうかと思った。

六年前の雨の夜、七重を家に担ぎ込んだとき、希世は無表情に七重のために床をのべ、伝五郎が医者を呼んでくると、手当てする医者を手伝った。

——だが、あのときではあるまい。

そういう気がした。

不意に重い衝撃が、伝五郎の内部に動いた。十年も昔の盆踊りの夜のことが、不意に記憶に甦ったのである。帰り道の、長い沈黙の後で、希世は自分から七重のことを話題にしたのだった。長い沈黙の中で、希世は夜の雑踏の中から、不意に話しかけてきた美しい女と、やがて夫になるべき男とのつながりを探っていたのだろうか。

長く荒廃した妻との日々が見えてきた。

「もうよい。そのことは誰にも言うな」

と伝五郎は言い、先に休めと言葉を重ねた。

行燈《あんどん》の火の芯《しん》を剪り、墨をすりながら、伝五郎は井沢勝弥に書きおくる果たし状の文句を案じた。その思考の中にも七重は姿を現わし、光り輝くようだった。

青岳寺の門を出ると、冬には珍らしい温かい日射しに体を包まれた。七重は短い影を踏みながら、ゆっくり歩いた。

「奥さま、ちょっと」

女中のひさが軽く袖を引いたのは、青岳寺の塀が尽きる場所に来たときである。そこは四つ角で、右に曲ると布引町の商人町に入る。

角の青物屋の前で、店に背を向けてこちらを眺めている老女の姿に、七重も気づいていた。老女の視線がきつく、眺めているというよりは注視しているように見えたからである。その見つめようは、明らかにこちらの身分を知っていることを示している。

「あれが、潮田の母親でございますよ」

とひさは言った。

二人は角を左に曲って、青物屋を通り過ぎていたが、七重は思わず振返った。伝五郎の母沙戸は、まだこちらを見つめている。その眼に憎悪のいろを見て、七重は訝《いぶか》しんだが、不意に腹が立った。

——潮田が果たし合いなど申し込まなかったら、勝弥は生きていた。

と思ったのである。

夫の立派さに、七重は倦《あ》きあきしている。夫の庫之助は、藩政の中枢に坐ることに、異常なほどの執着を示してきた男だった。庫之助の異常さは、そのために自分自身に苛酷な試練を加え、それをひとつひとつ着実に克服してきた立派さにあった。万巻の書を読破し、剣は一流の奥儀を究め、歴代の藩執政の治績の枢要を、ことごとく諳《そら》んじていた。

だが、庫之助のこのような努力は、要するに権力者の資格にふさわしい自分を作りあげることに目的があったのである。その資格を完璧なものにするために、庫之助は立派な風姿、声音、笑いにまで気を配る努力を惜しまなかった。

夫の立派さの異常に気づいたのは、菱川家に嫁いで四、五年経った頃である。夫はそのようにしてつくり上げた自分を武器に、一歩一歩権力の座をのぼり、のぼるたびに、妻にその座を誇示し、尊敬を強いた。いま庫之助は家老の地位を手に入れることに熱中している。

これが藩内の尊敬を集めている男の正体だった。

——勝弥はだらしがない男だったが、正直だった。

と七重は思う。

七重は菱川家に嫁ぐ前、一度だけ井沢勝弥に肌を許していた。榛ノ木茶屋で忍び会ったとき、勝弥はふざけた口調で、

「たった一度の過去のために、いまだに嫁をもらう気になれないのだ」

と言った。勝弥は井沢家の跡取りなのに、まだ独り身で女遊びをしたり、悪友と酒を呑み廻ったりしていた。

勝弥がふざけ半分に言った言葉を、七重はことごとく信じたわけではない。だが言ったことの中に、何ほどかの真実が含まれていることを覚ったのだった。

——潮田は、どういうわけで勝弥に果たし合いなど申し込んだのだろう。

七重にはいくら考えても解らない。潮田伝五郎は、ある時期弟のまわりにいた男たちのなかで、一番目立たない人間だった。辛卯の年の暮、屋敷から救い出してくれたのが伝五郎だと知ったときは驚いたが、偶然だろうと思っていた。

果たし合いは、伝五郎の方から申し込んだと聞いている。どのような理由からそうなったかを語る者は誰もいない。七重に解っているのは、一人の男が、いまの七重にとって大切な人間の命を奪ってしまったことだけである。

——あのような眼でみられるいわれはない。

七重は、憎悪を含んだ眼で自分を見つめてくる潮田の老母に、憤りを感じた。

風もない、穏やかな日射しの中で、二人の女は、なおしばらくきつい眼でお互いを見合った。


（盆踊りの項は、「鶴岡市史」を参考にしました。）

穴熊

一

——また、やってやがる。

と気づいた。

浅次郎には見える。壺振りが、盆に壺を伏せたあと、中盆の盆を読む声が心持ち遅れていた。その僅かな遅れが、盆の下の床穴で、針を使っている者の姿を浮かび上がらせる。

だが、浅次郎のほかに、それに気づいたものはいないようだった。盆のまわりから、喰い入るような視線が壺に集まっているだけである。ざっと三十人近い人数が盆を囲んでいた。その中で、二盆続けて三十両という大金を賭けて勝った者がいて、それが部屋の中の空気を一ぺんに熱っぽく膨《ふく》らましている。中盆の読みが心もち遅れ出したのは、その頃からである。

浅次郎の勝負に対する興味が、急に醒《さ》めた。

その盆で一両ほど損をして、浅次郎は賭場を出た。

——しかし、尾州屋はやばいことをやっているぜ。

と思った。振り返ったが、いまのぼったばかりの遅い月に、微《かす》かに檐《のき》を光らせているのは、ただの材木屋だった。店の脇の空地に、丸太や板材が積んであり、店に立てかけた杉丸太や竹が、乱雑に夜の空に尖端を伸ばしている。

尾州屋徳兵衛という。徳兵衛は初め、隣の茂森町で人足集めをやっていた。それが五年前、扇町にあった近江屋という材木問屋が潰れた跡を買って、商売を始めた。しかしほかの材木問屋のように、大きな納め仕事の入札に加わるということもなく、いつになっても小売りに毛が生えたような商いをして、いままできている。商才があるようでもなく、仕入れが小さいところからみて、資力があるようでもなかった。それでいて、人の出入りは多かった。時折り徳兵衛は、木場の橋を渡って亥の堀川沿いに、小名木川の方に出て行く。あまり人相風体のよくない人間が三、四人一緒で、男たちに囲まれてむっつりと黒い顔を俯《うつむ》けて歩く徳兵衛は、商人のようには見えなかった。

徳兵衛が、店の奥でひそかに賭場を開いているのを、浅次郎は二年前に嗅《か》ぎつけた。それ以来、月に二、三度はこの賭場に顔を出している。

いかさまに気づいたのは、半年前である。

盆の勝負が、いつの間にか片寄っているのに気づいて、浅次郎は壺振りを注意してみた。だが、その時も壺振りは今夜のように尋常に賽《さい》を振っていた。それでも、いかさまは穴熊《あなぐま》だと判断するまで、さほどの手間はとらなかった。

穴熊は盆の上の細工ではない。盆茣蓙《ござ》の下に二寸角の穴を穿《うが》ち、壺の中の賽の眼を、床下から白木綿を通して読み取り、針でつついて丁半いずれかの目をつくるのである。いかさまの中でも、たちのよくないやり方だった。

──いつか、眼のいい奴に見つかるぜ。

と浅次郎はそのときそう思ったが、そのまま見つからずに半年経ったらしかった。だが浅次郎に、自分でそれを暴《あば》く気持は全くない。下手に騒げば、その場は済んでも、後で徳兵衛が廻した手で消され兼ねない。無口で、賭場に出てきても、黙って酒を飲んでいるだけの徳兵衛は、得体が知れない無気味なところがある。

だが損をした一両が忌々《いまいま》しかった。小名木川を渡ったところで永倉町の方に足が向いたのは、そのせいもあった。

富川町の裏店《うらだな》に帰っても、待つ者はいない一人暮らしである。どこかに肌寒さを残している三月の夜気が、そのまま籠っている部屋があるだけだった。大家の紺屋善右衛門は、浅次郎がまだ芝の経師屋《きょうじや》で働いていると思っている。だが浅次郎は、その仕事を三年前にやめていた。

永倉町の、一軒の古着屋に、浅次郎は入った。狭い店に、土間まで古着、古掻巻《かいまき》がぶら下っている中を、海藻を分けるように奥に進むと、突きあたりの茶の間の障子が開いて、男が無言で浅次郎をみた。背後にある行燈《あんどん》の光のために、男の表情は見えない。丸い頭と幅のある体軀だけが見えた。

「俺だ」

浅次郎が言うと、男は黙って顔を引っこめた。

自分の家のように、浅次郎は茶の間に入ると障子を閉めた。部屋の中にいるのは、相撲取りのように肥ったその男だけである。赤城屋六助というのが男の名前だった。この古着屋の親爺である。だが、男はもうひとつ、闇で囁《ささや》かれる名前を持っている。赤六という。古着屋は世間に向けた顔で、六助は裏でひそかに隠れ淫売を操っている。その方が本業だった。

赤六は長火鉢の向うから、煙管《きせる》をくゆらせながら黙って浅次郎を見つめている。年頃はまだ四十前後なのに、鬢《びん》の毛が抜け上がって、額から月代《さかやき》にかけて、脂が光っている。馬の眼のように、大きく張った眼が瞬きもしない。

「お弓のことを、その後聞かねえかい」

浅次郎は、そこに出ている茶碗を勝手に使って、火鉢にかかっている鉄瓶から、湯を注ぐと飲んだ。喉が渇《かわ》いていた。

ひと息ついて、浅次郎はそう言ったが、赤六は黙って首を振っただけだった。赤六からいい返事を期待したわけではない。だがそれを聞くとき、浅次郎はやはり耳を澄ますような気持になる。そして赤六のすげない表情をみると、いつものように、軽い気落ちを感じるのだった。

お弓は、浅次郎が通いで働いていた芝三島町の経師屋の娘だった。三年前に、経師屋は莫大な借金を背負って潰れ、夜逃げした。夫婦と娘だけの家族で、お弓はそのとき十七だった。夜逃げを知って、浅次郎とほかに二人いた職人は呆然としたが、浅次郎には、人に言えない別の惑乱があった。そのとき二十だった浅次郎は、お弓と好き合っていた。

逃げる日の夕方、お弓は自分から浅次郎を誘って、高輪《たかなわ》にある茶屋の狭い部屋で抱かれている。茶屋を出て、浅次郎は深川に帰り、お弓は三島町の家に帰った。それっきりだった。お弓が、ひと言も夜逃げのことを洩らさなかったのが、浅次郎の胸にこたえていた。浅次郎は職を捨てた。働いて銭を得るために必要な張りを失っていた。ただ喰うだけなら、物乞いをしても喰えると思った。

しかし物乞いにはならずに、浅次郎は博奕に打ち込んで行った。賽の目勝負には、その間お弓を忘れさせる不思議な力があった。浅次郎が深川の岡場所に出入りするようになったのは、その頃からである。夜逃げして債鬼から遁《のが》れたものの、経師屋夫婦は、零落して江戸の片隅にひそんでいるような気がした。親方の定八は病身だったのである。そうして岡場所に出入りしている間に、そのあたりで不意にお弓に出会うかも知れないという気がしたのであった。

そうして二年ほど過ぎた。その頃には、浅次郎は半ばお弓のことを諦《あきら》めていた。夢のような出会いを追い続けているうちに、博奕《ばくち》の腕だけが上っていた。

意外な場所で、お弓かも知れない女の消息を聞いたのはその頃である。

「その女なら、憶《おぼ》えがあるな」

と言ったのが赤六だった。賭場仲間に誘われて、浅次郎は初めて赤六のような商売をしている人間を知ったのだった。吉原でも、岡場所でもない、ひそかに女が肉を鬻《ひさ》ぐ場所がそこにあった。

二度目に赤六の家を訪ねたとき、お弓のことを訊《たず》ねた浅次郎に、赤六は無造作にそう言ったのである。その女は三度来た、と赤六は言った。名前はお杉といったが、背恰好《かっこう》、顔かたち、声と赤六が描いてみせた女の輪廓は、お弓に間違いないと、浅次郎には思われた。浅次郎の胸は、ひさしぶりにざわめく血に騒いだが、お弓の消息はそれきりで断《た》えた。

赤六は、闇に隠れた商売を続けるために、巧妙な手を使っていた。本所、深川の町々に、五人の女がいて、赤六の家に女を送ってくる。五人の女は、赤六と金銭だけで繋《つなが》っていて、湯屋のお内儀《かみ》だったり、長屋に住む日傭取《ひようと》りの女房だったりという人間だった。赤六の家にきて、二階の部屋で男と会う女たちの素姓を赤六は知らないし、知ろうとしなかった。

お弓と思われる女は、北本所表町で髪結いをしているお楽という女の手から廻されてきたのだったが、お楽もその女の詳しい素姓を知らなかったのである。

浅次郎は落胆したが、それから月に一、二度ぐらい、赤六の家をのぞいてみるようになっている。だが浅次郎の心の中で、近頃は諦めがついていた。それでも思い出したように赤六の家にやってくるのは、諦めて投げてしまっては、お弓が可哀そうだと思う気持が働くからだった。その気持を、ふと口に出したくなった。

「見つかる訳はねえやな」

浅次郎はごろりと畳に横になると、片肘《かたひじ》を突いて頭を支え、赤六の顔を掬《すく》い上げるようにみた。

「おめえ、腹ん中で笑ってんだろう。だが正直言や、俺もここで見つかるだろうと、あてにしているわけじゃねえよ。だがそういってしまったんじゃ、あの女が可哀そうじゃねえか。なあ」

「遊んで行かないかね、浅次郎さん」

と赤六が言った。

赤六の表情が、不意に生きいきと動いたように見えた。

「冗談じゃねえや。賭場でふんだくられて、その上おめえに吸いあげられたら、懐が干上っちまわあ」

「いい女が来ているんだがね」

長火鉢の向うで、赤六は一膝乗り出すように、大きな身体を小揺《こゆる》ぎさせた。商売の話になると、赤六は人が変ったように多弁になる。

「あるとこの旦那に頼まれて、上玉を呼んであるんだ。ところが、旦那は都合が悪くなったらしいや。今夜は来そうもないのよ。女は……」

赤六はひょいと天井を指した。

「上で待ちぼうけだ」

「その気はねえな。俺あ睡《ねむ》いだけだ」

浅次郎はすばやく起きると、立ち上がった。赤六の家で呼ぶ女は、素人だった。貧しい家の娘、若後家、亭主持ちの中年増などが、金のためにひそかに身体を売る。割下水の向うの吉田町で、病気を心配しながら女を買うのとは雲泥の差だが、そのかわり眼玉が飛び出るほどの金を取られる。

浅次郎は障子を開けて土間に足をおろした。その背に、赤六のだみ声が突き刺さってきた。

「今夜が初めてなんだがな。それに、お弓という人にちょっと似ているんだがね、その女がよ」

二

薄い布団が一組だけ敷いてある。

浅次郎が入って行くと、女ははっと顔を挙げたが、すぐに俯《うつむ》いてしまった。行燈《あんどん》の光がその横顔を照らしている。軽い酒肴の支度がしてあるが、勿論《もちろん》女が手をつけた様子はない。酒の支度は、竹蔵という年寄りがやる。赤六は女房子供もなく、女中も置いていない。昔門前仲町界隈の小料理屋で働いていたという竹蔵が住込みでいて、飯の支度や、二階の支度を器用にやっている。

浅次郎は、襖際《ふすまぎわ》にしばらく立止ったが、やがてゆっくりと行燈のそばに胡坐《あぐら》をかいた。部屋に入ったとき、一瞬さわいだ胸は、もう鎮《しず》まっていた。女はお弓ではなかった。

しかし赤六は嘘を言ったわけではなかった。俯いている女は、お弓に似ている。顔を挙げて浅次郎を見た、細いが黒眸《くろめ》がちの眼。きっと引き結んだような小さい唇。そして頬から顎にかけてすっきりと瘦《や》せた線のあたりが、一瞬お弓かと思わせたほどだった。赤六の記憶は正確だった。

だがよくみると、女は二十四、五にはなっているようで、肌が白かった。お弓は地の肌が浅黒かったのである。それにお弓は陽気で、もの言いもにぎやかだったが、眼の前に坐っている女には、にじみでるような暗さがある。

「昔知ってた女に、あんたが似てるというもんでね。なるほど似てらあ」

女は顔を挙げ、ぎごちない微笑を泛《うか》べた。

「一杯もらおうか」

浅次郎は気分をほぐすために盃を取り上げた。だが女は、浅次郎の誘いに乗って来なかった。

「あの……」

女は俯いて言った。

「申しわけありません。あの、急いでおりますので」

浅次郎は鼻白んだ。だが、ちらと浅次郎をみた女の眼に、怯《おび》えのようなものが走るのをみると、すぐに納得がいった。女は帰りを急いでいるのだった。恐らく家の者には内緒できているのだろう。そう思わせる落ち着きを欠いた空気が、女の全身にまつわりついていた。

「いいよ」

と浅次郎は言った。

「先に寝てくれ。こっちは大急ぎで一杯やっちまおう」

手酌でぐいぐいと酒をあおった。少しは酒が入らないと抱く気になれないような、奇妙な固さが女にはある。

――これだからとうしろは厄介だぜ。

と思った。素人女などは、遊び倦きた旦那衆だから珍らしがる。俺あ苦手だと思った。だが不意に女の身体が匂った。女は夜具の脇に背をみせて蹲《うずくま》り帯を解いたところだった。半襦袢と湯文字だけになった女が、静かに夜具の中に滑り込むのを眺めてから、浅次郎はまた盃をあおった。酒で身体が熱くなるのと一緒に、膨れ上がってくる欲望があった。腰紐にくびれた細い胴の下に、豊かに盛り上がっていた腰が、欲望をそそっていた。浅次郎は盃を措《お》いた。

女を抱いている間、浅次郎は火花をみるように、お弓のことを思い出していたようだ。眼を閉じ、微《かす》かに開いた口から洩れる控え目な喘《あえ》ぎ。ひそめる眉に、高輪の茶屋で抱いたお弓の顔が重なった。

女が出て行くのを、浅次郎は夜具の中で片肱《ひじ》ついて見送ったが、女の姿が消えると首をひねった。

——妙な女だぜ。

と思ったのである。無口な女だった。床に入ってから、浅次郎は戯《ざ》れ言を言って、女の気持をほぐそうとしたが、女は黙って眼をつむっているだけだった。横たわった身体に、浅次郎はやがて荒々しい愛撫を加えたが、女は乱れなかった。声を出さず、終るころにつつましく燃えただけである。

「…………」

浅次郎は起き上がった。不意に女の正体が腑に落ちた気がしたのである。

——武家の女だぜ、ありゃ。

と思った。部屋を出るとき、女はきちんと坐って「ありがとう存じました」と手をついたのである。武家の女が身体を売って悪いということはない。しかしよほどの事情があるに違いなかった。

浅次郎は気が滅入るのを感じた。ひとりの女に、ひどく理不尽な仕打ちをした、後味の悪い気持が残った。

下に降りると、赤六は火鉢の縁に肱を突いて、無表情に莨をくゆらしていた。赤六は酒を飲まない。女も好きでないようだった。浅次郎は、以前竹蔵に、赤六は女がいらない身体なのだ、と聞いたことがある。何を楽しみに金を溜めているのか、と思うような男だった。

「どうだった、ぐあいは？」

赤六は浅次郎が坐ると、眼をのぞき込むようにして言った。赤六の顔に、眼をそむけるほどの好色な笑いが刻まれている。

「いまのは、どういう素姓の女なんだい？」

と浅次郎は聞いた。だが、赤六はあっさり首を振った。

「知らないね。あたしはそういうことは女たちにまかしていて、一切聞かないことにしてるんだ」

「誰に聞けば解るんだい？」

「おいおい」

赤六は顔を引いて、じろりと浅次郎を見た。険《けわ》しい目つきになっている。

「妙なことを言い出してくれちゃ困るんだ、浅次郎さん」

「何がだ？」

「あたしは危い商売をしてるんだよ。どういう人間がどうつながって、などということを、お前さんに喋《しゃべ》るつもりはないよ。本所のお楽のことは、お前さんがあのときあんまり思いつめた顔をしたから、つい仏心を出して教えた。だが後で散々後悔したよ。お楽とはあの後手を切った。怨まれたが、仕方ない。あれはお前さんのせいだよ」

「…………」

「今夜の女がどこから来たか、なんてことは訊《き》かない方がいいよ。あたしも喋らないし、竹蔵も喋らない」

「なるほど。あくどい金を稼ぐには、それぐらい用心がいるわけだ」

浅次郎はせせら笑った。二両という法外な金を取られたことも癪《しゃく》にさわっている。

「なに、それほど知りてえわけじゃねえ。ただちょっと気になっただけだ」

浅次郎は手を差しあげて欠伸《あくび》をすると、投げやりな口調で言った。

「上玉だったぜ、うん」

十日ほど過ぎて、浅次郎は本所を歩いていた。浅草の奥山で二刻《ふたとき》余りも矢場で遊んだ帰りだった。

赤六の家で会った女を思い出したのは、お楽の店がこの近所だな、と思ったときである。

大川端から竹町と北条相模守《さがみのかみ》下屋敷に挾まれた道に入った。道はすぐに北側が表町に、やがて北条家の屋敷塀が切れたところから、右側は番場町になるが、一度番場町の途中で左に曲る。曲った道は、真直《まっすぐ》東久寺の門に突きあたる。表町は更《さら》に続いて、東久寺と、並びの景勝寺の門前に細長く道に沿って延びている。

お楽の髪結床は、その細長い町の真中あたりにあった。

「ああ、あの時の……」

お楽は浅次郎を忘れていて、しばらく警戒するように浅次郎の顔を見つめたが、以前お弓のことを訊ねに来た者だというと、漸《ようや》く思い出したようだった。

「それで、あの時の娘さんは見つかったのかい」

「いや、あれっきりでね。近頃はもう、諦めていまさ」

「気の毒だねえ」

ま、おかけよ。お茶を一杯入れるよ、とお楽は言った。客はなくて、ひまそうに見えた。お楽は三十半ばで、頬骨が張った長い顔をしている。色が黒かった。

「もう赤城屋の仕事はしてないんだってな」

浅次郎は客用の腰掛けに腰をおろして言った。

「あんたのおかげで、お払い箱さ」

「そうだってな。俺ア知らなかったぜ。気の毒したよ」

「なあーに、気に病むことはないんだよ」

お楽は薄笑いして言った。

「六助はやり手だからね。少ないんだよ、口銭が。こっちは気張っていい女を世話してやったのにさ。ほかんところはもっと呉れるよ」

お楽の口ぶりは、赤六から別の隠れ売女屋《ばいた》に鞍替えしたことを示しているようだった。

「じつは一寸《ちよつと》聞きてえことがあって寄ったんだ」

「何だね？」

お楽はまた警戒するように浅次郎をみた。

「前のようなことはご免だよ。こっちは赤城屋が廻してきた人だからと、あんたを信用して喋ったただけなのに、手を切るっていわれたんだからね。ひと、ばかにしてるよ」

「こないだ、赤六のところで妙な女に会ったんだ」

浅次郎は構わずにこの前のいきさつを話した。

「どうみても武家方の女だったぜ」

「別に珍しかないだろ。お武家さまって言ったところであんた、ぴんからきりまであるもんね。ちゃんとしたお屋敷のご新造さんで、一升買いしている人をあたしゃ知ってんだから。お酒じゃないよ、お米の方だよ」

「赤城屋にそういう女を世話してんのは、ほかに誰がいるんだい？」

「あたしゃ知らないよ」

とお楽は言った。

「六助とは縁が切れたけど。たとえ知っててもこれは仲間うちの仁義でね。喋れないのさ」

浅次郎はすばやく用意していた小粒を握らせた。

「困るねえ、こういうことをされちゃ」

お楽は言ったが、鼻紙に包んだ金は握りしめたままだった。

「あんたは素姓が知れてるからいいけど、よそに洩れたら、手が後に廻るんだから」

お楽はなおも言ったが、口を噤《つぐ》んで顔をみている浅次郎を見返すと、根負けしたように声をひそめた。

「お鹿か、お船蔵前のおきの婆さんだね。訊くんならはっきりあたしの名前を出して、それからお金がいるね。それもよっぽどはずまないと、女の素姓なんて言いっこないよ。口の固いのが取り柄の商売なんだから」

「わかった。恩に着るぜ」

「だけど、あんたも気が多いね」

お楽の黒い顔が、不意に淫《みだ》らな笑いに崩れた。

「前の娘を探すのは諦めて、今度はその女に乗りかえようって算段だね。若いから無理ないやね」

「そんなわけじゃねえよ」

と浅次郎は言った。

「ただ気になるんで、素姓を知りてえだけさ」

三

五間堀に架かる伊予橋から、森下町の町筋がよく見える。六間堀町の方からその浪人が帰ってくる姿をみると、浅次郎は思い切って橋の欄干《らんかん》から身体を離した。一度擦れ違ってから、旦那、と声をかけた。振り向いた浪人は、不審そうな眼で浅次郎を見た。穏かな風貌の、三十前後の武士である。長身で中高のいい男振りをしている。

「それがしを、呼んだか」

「へい。恐れ入りますが、ちょっと」

こちらへと伊予橋まで誘った。

「旦那をおみかけして、失礼ですが、ちょっと思いついたことがござんして」

「何を思いついたな」

「ずばり申し上げましょう」

浅次郎は声をひそめた。

「ちょっとした金が入る口があるんでござんすが、いかがでしょう。ひと口乗っちゃくれませんか」

浪人は黙って浅次郎をみた。澄んだ生真面目そうな眼だった。

「いかがです？　話だけでも聞いちゃくれませんか。じつは旦那のような方を探してましたんで」

「なるほど」

ふうと吐息をひとつ洩らしてから、浪人は苦笑した。

「みえるか。懐中豊かでないのが」

「いえいえ、とんでもござんせん」

浅次郎は手を振った。

「旦那のためじゃござんせん。じつはこないだ悪い奴にかかって、大損をしましてね。へい、ざっくばらんに申し上げますと、あっしは博奕打《ばくち》ちでござんすが、あるところでいかさまに引っかかりました。口惜《くや》しいが一人じゃどう足掻《あが》いても取り返すえわけに参りませんもんで、へい」

「強請《ゆすり》に類する仕事かな」

「ま、そういうわけですが、悪いのは向うの方で」

「いかほどになるな？」

「ざっと五十両。それより少ねえてことはありませんや。あっしは十両だけ頂戴すりゃ、ようござんす」

浪人は鋭い眼で、浅次郎の顔を見つめている。浅次郎もその眼を見返した。

「町人、くわしい話を聞こうか」

やがて押し出すような口調で、浪人が言った。浅次郎は浪人を誘って、近くの飲み屋に入った。

尾州屋徳兵衛の賭場で、穴熊を咎《とが》める相談が、やがてまとまった。細かな手順もその場で決めた。賭場は、穴熊を始めると、三晩は続ける。その時期の見当が浅次郎にはついている。四、五日後に、徳兵衛はそれをやる筈だった。

「あっしは浅次郎というもんで。失礼ですが、旦那のお名前をうかがっておきましょうか」

「塚本伊織と申す」

浪人は几帳面に名乗った。

伊予橋の手前で、浅次郎は塚本と別れた。

「それでは五日後の暮六ツと決めましょう。その刻限に新高橋の際《きわ》でお待ちいたします。ようござんすね」

「心得た」

塚本はあっさり言った。度胸もありそうに見えた。

伊予橋を東に、浅次郎は渡った。小さな武家屋敷が続き、やがて左手に溝口主膳正下屋敷の長い土塀が見えてきた。

塚本伊織の名前も、塚本がどこに住んでいるかも浅次郎は初めから知っている。赤六の家で会った女が、塚本の家内だった。夫婦と子供一人が、五間堀端の森下町の裏店に住んでいた。五つになるその男の子が、難病持ちだった。喘息《ぜんそく》である。発作が起きると、夜も昼も苦しみ悶えた。

「それでその子を、あたしんとこに担ぎ込んでみえたんだよ、ご新造さんがさ。医者にかかっていて、手を離れることがないんだけど、医者も薬も間に合わない病人だからね。そんなだから、そりゃあ金がかかるんだよ。夫婦で傘張りや団扇《うちわ》作り、それに旦那が絵心があるとかで、団扇や凧の絵を描くたってあんた、追っつくもんかね。薬代が滞《とどこお》って、医者がみてくれない、などと嘆くから、あたしゃ人助けのつもりで、六助のところに世話したんだよ」

御船蔵前町で、祈禱師をしているおきの婆さんは、浅次郎がお楽に言われたように金を摑ませると、立て板に水を流すように夫婦のことを喋ったのである。

おきの婆さんの話は、浅次郎の胸を塞いだ。それなら佐江という、お弓に似たあの女は、これからも赤六の家の二階で、たびたび好色な男たちに抱かれなくてはならないのだと思った。塚本の妻女の、微かな肉の顫《ふる》えが思い出され、浅次郎は自分もその好色な男たちの一人であることに、不意に耐え難い気がした。凌辱されるのが、塚本の妻女ではなく、お弓であるような感覚に襲われたのである。

塚本に話しかける機会を窺《うかが》ったのは、五日ほど経ってからである。その時には、塚本に徳兵衛の賭場で穴熊を咎めさせる腹が決まっていた。塚本は痩せても枯れても武士である。その咎めは、威《おど》しをかけるまでもなく、一発で決まるだろうという見込みが、浅次郎にはある。

——かなりまとまった金が入る。

じっくりと考えを練った末に、浅次郎はそう確信した。そのまとまった金で、いい医者にかけ、養生すれば、子供の病気はなおるかも知れない。そうすれば、塚本の妻女が、男たちの眼に肉を曝《さら》すことはないのだ、と思った。

おきの婆さんに聞いて、塚本夫婦が住んでいる森下町の裏店はすぐに解《わか》った。塚本伊織という浪人者も、ひと目みて解った。裏店から路に出てくる浪人が、二人も三人もいるわけもないが、それよりも伊織が、美貌の妻女に似つかわしい風貌をしていたからである。

細身だが背が高く、三日に一度大きな風呂敷包みを背負って長屋を出、六間堀の方に行く。卑下した風はなく、塚本は悠々と町を歩いた。そうした姿を、浅次郎は二度見送り、今日三度目に漸く声をかけたのである。

しかし中身はどこから眺めても町の無頼が持ちかける話である。塚本の清潔な風貌からみて、一蹴される懸念があった。その心配のために、浅次郎は二度ためらったのである。

——よっぽど困っているんだな。

塚本がすぐ話に乗ってきたことは、むしろ浅次郎の気持を暗澹《あんたん》とさせた。

土塀を過ぎると、また左右に武家屋敷が続き、日暮れの仄《ほの》暗い光が漂う道は、行き逢う人も稀《ま》れだった。

ふと浅次郎は立止った。

——大事なことを聞き落としたぜ。

塚本伊織は剣術をどの程度遣《つか》うのだろうか、とふと思ったのである。尾州屋徳兵衛のまわりにいるのは、餓狼に似た男たちだった。三十両という大金を残らず吸い上げられた、商家の後とり風の若い男が、頭に血がのぼったらしく「いかさまだ」と喚《わめ》き、忽《たちま》ち虫の息になるまで叩きのめされたのを一度見ている。

塚本と組んでやろうとしている仕事は、危険な仕事だった。

四

五日経った日の夕刻。浅次郎は新高橋の橋袂で塚本伊織を待った。

江戸の町並みの背後に日が落ちて、家々の壁にまつわりついているのは、すでに夜の色だった。西空の落ち際に、朱を溶いたような夕焼けが残り、小名木川の暗い水面に映っている。川波はその朱色だけを弾《はじ》いてひとところ輝き揺れていた。路上をせわしなく往き来する人の顔だけが、ぼんやりと白い。

その黄昏《たそがれ》の中から、不意に塚本伊織が姿を現わした。

「待たせたな」

塚本は平静な声で言った。

「なあーに、ちょんの間でさ。じゃ参《めえ》りましょうか」

二人は橋を渡った。

右に扇橋町の家並みが続き、家々はほとんど戸を閉めてしまっている。左側に亥の堀川の水音が鳴っている。

「旦那」

浅次郎は囁《ささや》いた。

「ゆうべ様子を見に行きましたよ。やってましたぜ」

「そうか」

「打ち合わせた手順でやってもらいますぜ。あっしの合図をお忘れなく」

「解っておる」

二人はしばらく無言で歩いた。人が二人擦れ違った。

「怖かありませんかい、旦那」

と浅次郎は言った。薄闇の中で、塚本はちらと浅次郎を見たが、答えなかった。

「旦那は、その失礼ですが、やっ、やっとうのほうはお出来になるんで？」

塚本はまたちらと浅次郎の顔をみたが、やはり答えずに足を早めた。

薄闇の中を塚本はぐんぐん足を早めて行く。

「旦那」

気に障《さわ》ったことを言ったんなら、勘弁してくだせえ、と言いかけたとき、前方の薄闇に人影をみた。塚本が途中で立ち止っている。

「あっしの言ったことが気に障りましたかい」

追いついた浅次郎が言ったとき、眼の前で塚本の身体が激しく動き、一瞬鈍い刀の光が薄闇の中にきらめいた。はっと思ったとき、塚本はもう刀を鞘に納めていた。

そのとき、横を擦れ違おうとした人影が、どっと地にのめった。腰が曲り、杖を突いた老人だった。老爺は悲鳴を挙げて地面にもがいた。

「旦那、いけねえ」

浅次郎も悲鳴を挙げるように言った。塚本が老人を斬ったと思ったのである。だがその顔をみた浅次郎は息を呑んだ。塚本は薄闇の中でもはっきり解るほど、険しい表情をしている。

だがその表情は、すぐに緩《ゆる》んだ。

「済まなかった」

塚本は自分で老人を助け起こしていた。着ているものの埃《ほこり》をはたいてやりながら、

「その辺に杖のかわりになるものはないか。探してみてくれ」

と塚本は言った。

浅次郎は老人の杖を拾ってみた。背筋を冷たいものが走り抜けた気がした。よく磨いて艶が出ている固そうな杖が、鮮かな斬り口を見せて中ほどから両断されていた。

杖を斬られたことに、老人は気がつかなかったのかも知れない、と浅次郎は思った。老人は塚本の身体が動いたあと、何気なく通り過ぎようとして、それから転んだように見えたのである。

浅次郎に剣術のことは解らないが、塚本の腕前が並のものでないことだけは、ぼんやりと感じ取れた。

「凄え腕前じゃありませんか」

川岸で拾った竹の棒を持たせて、老人と別れた後で、浅次郎は言った。塚本は微かな笑いを唇に刻んだだけで答えなかった。

——よっぽどこらえていなさることがあるんだな。

と浅次郎は思った。

さっきちらとみた塚本の表情の険しさが、浅次郎の眼に残っている。いきなり老人の杖を斬ったのも、これまでの穏やかな印象に似つかわしくなかった。何ものとも知れないものに、日頃の憤《いきどお》りをぶつけた感じがあった。

塚本に好意が動くのを、浅次郎は感じる。塚本の妻女のため、と思った初めの気持が、いつの間にか微妙に変質していた。

「旦那、うまくやって下さいよ。もうすぐそこでさ」

心からそう言った。

賭場は、二人が入っていったとき、もう熱っぽい空気になっていた。二人はさりげなく盆のまわりの人間に紛《まぎ》れ込んだ。

やがて、塚本は浅次郎が教えたとおり、少しずつ金を賭け初めた。最初はぎごちなかったが、やがて要領を呑み込んだらしく、手つきがうまくなった。打ち合わせたとおり、浅次郎の顔をみることもなく、落ちついた素振りだった。風体はどこから見ても年季の入った浪人者である。賭場の者で、塚本を妙な眼でみているものはいなかった。

浅次郎は小金を賭けながら、慎重に中盆と壺振りの様子を窺《うかが》っていた。中盆の男は、始終顔に笑みを絶やさない愛想のいい三十男だったが、口調は歯切れがよく、鮮かな手際で盆を切っている。壺振りはまだ若い男だった。眼に険があり、黙々と壺を振っているが、壺でいかさまをやるほどの腕はないようだった。

——だから穴熊なのだ、この賭場は。

と浅次郎は思った。浅次郎は、亀戸天神の近くにある大名下屋敷の中で、こっそり開かれていた賭場にもぐり込んだとき、凄腕の壺振りをみたことがある。

四十過ぎのその壺振りは、痩せた小男で、裸になった胸に痛々しいほど高く肋骨が浮いていた。勝負の流れから、やがてその壺振りが七分賽を転がしていることが疑えなくなった。七分賽は、どう転がしても丁目か半目の一方の目しか出ないようにこしらえてある細工賽である。だが浅次郎がいくら眼を凝らしても、男のいかさまは見破れなかった。その男は、澄ました顔で並みの賽子《さいころ》二つ、いかさまの七分賽二つを、自在に操っていた。

中盆と壺振りのほかに、盆の両尻に若い者二人が片膝を折って控えている。部屋の隅には徳兵衛がいて、そのまわりに、いつも見る顔の、賭場の男たち五、六人が坐っている。男たちは莨《たばこ》を喫ったり、コマを数えたりしていた。コマは、盆の勝負で持ち金を使い果たした者が、金のかわりに胴元である徳兵衛に借りる金札である。このコマが頻繁に盆に持ち出されていく頃、勝負は白熱している。徳兵衛は酒を飲むでもなく、絶えず莨をくゆらせながら、まわりの男たちと短い言葉を交わしている。時どき顔を挙げて、鋭い眼で盆の方を眺めた。

何気ない風に、徳兵衛のそばにいた男が、ひょいと立ちあがった。すると次々と男たちが座を離れ、やがて盆のまわりを取り囲むように立った。浅次郎は眼の隅で、男たちの動きを把《とら》えている。

——穴熊を始めるつもりだ。

そう思ったとき、不意に全身にじっとりと汗がにじんでくるのを感じた。微かな恐怖に浅次郎は把えられている。

浅次郎は盆の向う側にいる塚本伊織をみた。塚本は熱心な眼で、盆の上の賭け金を眺めている。浅次郎が丁方に、塚本が半方に別れて同じ額の小金を賭けているので、損はしない仕掛けになっていた。

その平気な顔を眺めながら、浅次郎はいまひどく大それたことをしようとしている、という気がした。

が、このとき中盆の口調が微妙に変った。丁方、半方の賭け金を合わせる声が、僅かに疲れたように歯切れが悪くなっている。賭場は穴熊にとりかかっていた。二勝負を見送って、浅次郎は始まった盆に一両を賭けた。それが塚本への合図だった。

壺振りが壺を伏せた。中盆の声がそれに続いて賭け金を催促する。

「丁方、半方揃いました。よござんすね」

中盆の男は左右に鋭い目を配った。

「勝負！」

中盆の通し声が響くのと、

「待った」

という塚本の声が、それにかぶさったのが同時だった。壺振りは上げかけた壺を、あわてて上から押さえた。盆の動きが、不意に切断され、ざわめきが熄《や》んだ。盆のまわりで私語が交され、人々の眼が塚本に集まった。

「その壺、待った」

塚本は人々の注視を気にもかけないふうで悠然と言った。

——思ったよりも、度胸がある。

浅次郎はほっとしてそう思ったが、胸が轟《とどろ》いて、塚本の顔をまともに見られなかった。

「お客さん、何かご不審でも……」

愛想のいい中盆は、まだ眼に笑いを残したまま、胸を起こして塚本を見た。盆を差配するのは中盆である。一応穏やかに塚本の言い分を受けとめる構えになったが、同時に後を振り向いて顎をしゃくった。中盆の後に立っていた男たちが、ゆっくりと盆を廻って、塚本の方に近づいてゆく。

「いかにも不審だ」

塚本は、男たちが近づくのに眼を配りながら、からりとした口調で言った。

「この賭場は、平気でいかさまをやっているとみたが、それが売物か」

「なんだと！」

中盆の男の顔が一変した。「おい！」と、もう一度顎をしゃくった。男たちが駈け寄ったとき、塚本は立ちあがった。塚本はそのまま盆の上に上がると、不意に身を沈めた。蠟燭の光に、一瞬刀身がきらめいて、壺がきれいに二つに割れている。

盆のまわりの人間がどっと立ち上がって逃げた。塚本に走り寄った男たちもその中に入っている。中盆だけがまだ坐っていた。中盆と片膝突いた塚本だけが、人の輪の真中に残された。

塚本は転っている壺を、すばやく刃先で弾くと、刀身を逆手に持って、二つの賽子の上にかざした。

「どういうつもりだ、客人」

中盆は呻《うめ》くように言ったが、顔は血の気を失ない、額に大粒の汗が滴《したた》った。

「それはこっちが言いたい科白《せりふ》だな」

塚本が低い声で応じた。塚本の刀は、真直《まっすぐ》仕掛けの穴を指している。床下に、まだ人間が蹲《うずくま》っていれば、刃先はその男を串刺しにする。そういう形だった。仮りに下の人間が気配を察して逃げたとしても、刀が突っ込まれれば、穴の仕掛けは一ぺんに割れてしまう。賭場は名状し難い騒ぎになり、そうなればこの賭場はおしまいだった。寄りつく客はいなくなる。

中盆は健気《けなげ》にこの場を切り抜けようとしていた。顔を塚本に突きつけるようにして、圧《お》し殺した声で凄んだ。

「ど素人が盆を汚ねえ足で踏みつけやがって。生きて帰れると思ってんのかい。刀を引きやがれ、おい」

「そんなことよりこの刀、突っ込んでいいのか」

うっと呻《うめ》いて、中盆は額の汗を拭《ぬぐ》った。そのとき、不意に声がした。

「勝蔵」

徳兵衛が立ち上がっていた。勝蔵というのが、中盆の男の名前だった。救われたように徳兵衛をみて、「へい」と言った。

「そのお客さんは、何か勘違いをなさっているらしい。わしが言い分をお聞きしよう。こちらの部屋にご案内してくれ。丁寧にご案内しろ。それから今夜は盆をしまって、お客さんにお帰りを願った方がいい。明晩またおいで頂いて、気持よく遊んでもらう方がよかろう」

徳兵衛は言い捨てると、賭場を出て行った。

五

賭場の人間に見送られて、浅次郎は一番後に外に出た。秋の夜のように、冴えた月の光が、町を取り巻いている掘割の水を照らし、その中に浮いている木材の背に、くっきりと黒い影を添えている。一団になって話しながら帰る賭場の客から、少しずつ遅れて、崎川橋を渡ったところで浅次郎は足を停めた。前を行く人たちは、もう七、八間も離れていて、浅次郎を振返る者はいなかった。

浅次郎は、亥の堀川の東にひろがる、十万坪の草地を眺め、いまたどってきた掘割沿いの茂森町の方角を眺めた。疎《まば》らな人家が、灯の色もなく、月の下に黒く蹲《うずくま》っている。

塚本伊織の姿は、まだ見えない。

徳兵衛の賭場で塚本が見せた度胸は、出来過ぎだ、と思ったほどだった。それを見たため、浅次郎は、塚本を賭場に残してくるとき何の心配もしなかったのだが、茂森町の東際に白く伸びている夜道が、ひっそりしたままなのを見ているうちに、微かな不安が胸に兆《きざ》してくるようだった。餓狼の棲み家に、塚本ひとりを残してきた、という気持が膨《ふく》れ上がってくる。

戻って様子をみようか、と思い、橋をわたりかけたとき、町の角に人影が見えた。ゆっくりした足どりだったが、近づいたのをみると塚本だった。

「旦那、心配しましたぜ」

浅次郎がほっとしたように声を高めたのに、塚本はすばやく寄ってくると「しッ」と言った。

「送り狼だ。ちょっと面倒なことになるから、そのあたりに隠れていてくれ」

塚本は囁くと、すぐ右手に亥の堀川を渡って、十万坪の空地に行く大栄橋を渡った。ぎょっとして浅次郎は橋を離れ、道端にある材木置場に飛び込んだ。置場は久永町で一番構えの大きい、橋屋という材木問屋の所有である。見渡す限り積み並べてある杉材の間に、浅次郎が身をひそめたとき、橋板を踏み鳴らして駈けてきた数人の男たちが、脇目も振らず今度は大栄橋を渡って十万坪の方に駈け抜けた。

——いけねえ。旦那がやられる。

浅次郎は懐を探って匕首《あいくち》を摑み出すと、材木くさい置場から飛び出した。身体が燃え上ったようにかっと熱くなり、ひとりでに足が動き、恐怖を忘れていた。

橋を渡ると、塚本の姿と、塚本を半円に取り囲んだ男たちが見え、男たちの動きにつれて、手にしている刀が無気味に光って浅次郎の眼を射た。塚本は十枚ほどの、乱雑に積み上げてある切り石を背に、刀を構えている。

男たちの背後に駈け寄りながら、浅次郎は叫んだ。

「旦那、加勢しますぜ」

「手を出すな」

塚本が大きな声で言った。

「離れておれ」

落ち着いた声だった。この問答がきっかけになった。男たちは怒号して塚本に殺到し、そのうちの一人は、身をひるがえすと浅次郎に向かって走り寄ってきた。

髭面の獰猛《どうもう》な男だった。男は片手に高だかと刀を振りかざしている。浅次郎は、匕首を構えて一たんは男を迎えうつ姿勢になったが、次の瞬間逃げ出していた。腹の底から突き上げてくる恐怖のために、逃げる足が宙に浮いたように、心もとなく軽い。草の間を走り廻り、足がまた塚本が斬り合っている方に向いたのも、恐怖のせいだった。執拗な足音が後につきまとってくる。

前方から塚本が走ってくるのが見えた。

「旦那！」

叫んだつもりだったが、浅次郎の口から洩れたのは異様な喉声だけだった。足に草が絡《から》みついた、と思ったとき、浅次郎の身体は勢いよく前に傾き、その姿勢のまま三間も前にのめって、顔から先に草の間に突っ込んでいた。

手から匕首が飛んだ。倒れたまま本能的に身体を廻し、手を挙げて殺到してくる男を防ごうとしたとき、浅次郎の上を黒いものがふわりと飛び過ぎた。

刀と刀が撃ち合う音がし、続いてどさりと人の倒れる音がした。

「怪我したか」

塚本の声がした。さすがに息を切らしている。浅次郎は立ち上がった。倒れるときすりむいたらしく、顔と手首のあたりがひりひりしたが、ほかは何ともなかった。

夢から覚めたように、浅次郎はあたりを見廻した。月の光の中に、立っているのは塚本と浅次郎だけだった。草の中に点々と男たちが倒れている。まだ呻き声を挙げて動いている男もいた。

「心配するな」

塚本は微かに笑いを含んだ声で言った。浅次郎の顔に浮かんだ怯《おび》えを、すばやく読みとったようだった。

「峰打ちにしてある。怪我はさせたが斬ってはおらん」

「凄えや、旦那」

浅次郎は思わず言った。

二人は十万坪の空地を抜けて、亥の堀川の岸に戻った。

「さてと……」

塚本は立ち止ると、懐から包みを取り出した。

「重いもんだな、金もこのぐらいになると。持ち慣れておらんから、よけいに重い」

「徳兵衛はいくら出しましたんで？」

好奇心に駆られて浅次郎は訊いた。

「お前が言ったとおりだ。くれぐれも内聞に、と言って、これだけ出した」

みてくれ、と言って塚本は掌を突き出した。二十五両包み、俗にいう切餅が二つ乗っている。

「出したのは油断させるつもりだったのか。それとも後で惜しくなって、追いかけさせたものか」

塚本は静かな笑い声を立てた。

「こちらも、一たん頂いたものは返すわけにいかん。少々やましい気はするがな」

「なあに、気に病むことなんざ、これっぽちもありませんや。あくどい真似をして、客から巻き上げた悪銭ですぜ」

「そう思ってやった仕事だが、後味はそうよくないぞ」

塚本は生真面目な表情になって言った。

「山分けでよろしいか」

塚本は切餅ひとつを浅次郎に差し出した。

「とんでもねえ」

浅次郎は身体を引いた。

「あっしはただ手引きしただけですぜ。こんなに頂くわけはありませんや。前に十両などと言いましたが、なに、五両も頂けば十分でさ」

「そういうわけにはいかん」

塚本はいよいよ真面目な顔で言った。

「お前がお膳立てしてくれたので、入ってきた金だ。山分けと致そう」

「ま、歩きながら話しましょうや」

浅次郎は十万坪の方をちらと眺めて言った。

「どうも薄気味悪くていけねえ」

「案外に臆病だの」

「ざまありませんや。さっきだって、旦那に迷惑かけるために、飛び込んで行ったようなもんで」

二人は少し急ぎ足に、亥の堀川に沿って新高橋の方に歩いた。

「旦那」

浅次郎は陽気な声を張り上げた。万事うまく行った気持の弾みがある。これでこの感じのいい浪人も、あの痛々しい感じの妻女もひと息つけることになったと思った。

「橋を越えたあたりで、ちくと一ぺえやりましょうや」

「うむ。そう致そう」

橋の手前で、塚本伊織が足をとめた。釣られて、浅次郎も立ち止った。

「どうかしましたかい」

「町人」

伊織は浅次郎の顔をじっと見つめていた。

「どうも解《げ》せぬところがある」

「なんでござんす？」

「いまだから申すが、今度の話を聞いたとき、お前の言うことをすっかり信用したわけではない」

「…………」

「だが卑しい話だが、少々金が欲しいのでな。お前の話に乗ってみた。あとはどうなるにしろ、その場で勝負してみるつもりだった。ところが案外にすんなりと金が入ってきた」

「…………」

「正直に申すとな。いま懐に五十両の金があるのが信じられんのだ」

「信用してくだせえ」

と浅次郎は言った。

「間違えなく、その金は旦那のものですぜ」

「それ、それ」

と塚本は言った。

「解《げ》せんのはそこだ、町人」

「へ？」

「お前も金がいるので、この話を持ち込んだかと思ったが、金はいらんという。結局わしだけが得をする勘定だ」

「…………」

「何ぞ裏があるのか」

浅次郎はぎょっとした。あわてて手を振った。

「裏だなんて、とんでもねえ」

浅次郎は懸命に言った。

「旦那に話を持ちかけたとき、あっしは言った筈ですぜ。あの賭場で、一度ひでえ目にあってるって。その仕返しをしたかっただけでさ、へい。ただされっぱりしたかったんで」

「…………」

「金だって頂きますよ。あの時五両やられてますからね。五両は頂こうじゃありませんか」

「それでいいのか」

塚本はなおもじっと浅次郎の顔をみた。それから太い息を吐き出しながら言った。

「いや、助かる」

六

浅次郎が永倉町の赤六の家を訪ねたのは、秋も終りの十月の半ばだった。

「いい女はいねえかい」

浅次郎は茶の間に上がると、赤六に言った。赤六は春に来たときと同じように、息苦しいほど肥った身体を、長火鉢の前に据えて莨《たばこ》を喫っていた。赤六は首をもたげてうさんくさそうに浅次郎をみた。

「金はあるんだろうな」

「けっ、初めて顔を出したわけじゃねえぜ。金を持たずにくるわけがねえじゃねえか」

小梅村の真盛寺脇に、山吉という旗本の隠居屋敷がある。屋敷は数年使われたことがなく、中ノ郷元町に住む藤蔵という博奕打ちの息がかかった賭場になっていた。木場に行けなくなった浅次郎は、近頃その賭場に入りびたっている。ここ二、三日つきまくって、懐は暖かい。

「がっぽり持ってるぜ」

「そいつは結構だね」

赤六は相好《そうごう》を崩した。

「それじゃ、少し金が張るが、あの女を呼ぶか」

「……？」

「あの女だよ。忘れたかね、あんたが探している女に似てるって女がいただろうが」

浅次郎は眼を瞠《みは》った。赤六は塚本の妻女佐江のことを言っていた。

「そのへんの女房ふうにつくっているが、あれはちっと身分のある女なのよ。あんたには言わなかったがな。そういうことは言わなくとも解るらしくてな。いまじゃいい客がついて、この家で一番の売れっ子ぶりよ」

浅次郎の頭は混乱していた。塚本と一緒になってやったあの仕事は、何の役にも立たなかったのだろうか。それともおきの婆さんがまるっきりでたらめなことを喋ったというのか。浅次郎は慎重に聞いた。

「思い出したが、あの女はあれからずーっと来ているのかい」

「そうだな。ふた月ほど姿を見せなかったかな。こちらが気を揉《も》んだ頃に、また来初めて近頃は大へんな稼ぎっぷりだ」

「…………」

「どうだい？　呼んでみるか。ちっと値段が張って、三両出さないと来ないがね」

「呼んでくれ」

と浅次郎は言った。赤六は前金を催促し、浅次郎が出した金を、すばやくそばに置いてある手文庫にしまい込むと、手を叩いて竹蔵を呼んだ。

酒を支度してくれ、と言って浅次郎は二階に上がった。すぐに竹蔵が上がってきて、甲斐《かい》がいしく夜具をのべ、一たん降りてまた酒を運んできた。

「外は寒いぜ。ぐっと引っかけてから行ってきてくれ」

浅次郎が盃を差すと、竹蔵は満面に笑いを浮かべて膝を揃えた。竹蔵の鼻は、赤く酒やけし、浅次郎が注いだ酒を三杯、滴《しずく》も余さず飲んでから立ち上がった。

「ごちそうさんでした、旦那。それじゃちょんの間、待っていてくだせえ」

竹蔵は年寄りに似ない軽い身ごなしで部屋を出て行った。

盃をあけながら、浅次郎は、

——どういう仕掛けになっているのだ。

と思った。

塚本伊織と、徳兵衛の賭場を掻きまわしたのは四月である。それからひと月ほどして、浅次郎は御船蔵前のおきの婆さんを訪ねて、塚本の妻女の様子を探っている。

「知らないよ、そんな人は」

おきのは初めそう言い、浅次郎の顔を、一度も会ったこともないような眼で眺めたが、浅次郎がすばやくおひねりを渡すと、たちまち裏表をひっくり返したような、愛想のいい口調に変った。

「追っかけたって駄目さね。あの人はやめちまったんだよ。もともとお武家のご新造さんだからね、長続きはしないとあたしゃ睨んでいたのさ」

それを聞いたとき、浅次郎を襲ったのは、深い安堵だった。その気持に、僅かの嘘も混っていないことが、浅次郎をさらにいい気分にした。

――そうとも。あの人はそんなことをやってちゃいけねえのさ。

と、その時思ったのである。それがどういうわけで、また赤六の家に出入りすることになったのか。本人がくるまでは信じられねえ、と浅次郎は少し酔いが廻ってきた頭で思った。

「お待たせしました」

不意に声がして、振り向いた浅次郎の眼に、紛《まぎ》れもない塚本の妻女佐江の姿が映った。佐江は頬から顎にかけて、ふっくらと肉がついたように見える。だが引き結んだ小さな唇、きらめくような黒眸は変らず、なぜか前に見たときよりも若やいでいるようにさえ見えた。

浅次郎は声が出なかった。やってきたのが確かに佐江なら、問いつめなければならないことがある、とちらと考えたが、そう思っただけだった。気まずい感じのまま、盃を含んだ。

その背後で、帯を解く音がした。そして女の身体の香が鼻を搏《う》った。その匂いの中で、浅次郎はそれまで身体を縛っていた分別のようなものが、みるみる脱落し、そのあとを欲望が満たし、際限もなく膨れ上るのを感じた。盃を捨てて、浅次郎は女が横たわっている床に寄って行った。

浅次郎を夜具の中に迎えると、女は眼をつぶったまま、すぐに手足を絡ませてきた。うっすらと上気している顔が、浅次郎の欲望を掻き立て、浅次郎は女の首を抱くと唇を探った。すると女は、吸いつくように身体を寄せてきた。

それからのひとときを、浅次郎は狂った。浅次郎の愛撫に、女は鋭い反応を返し、幾度か高い声を挙げた。惜し気もなく豊かな肌を曝し、男の淫らな誘いを、ひとつとして拒まなかったのである。汗ばんだ膚《はだ》を合わせているのは紛れもない一人の娼婦だった。

半刻後《はんとき》。女が襖ぎわでつつましく頭を下げて部屋を出て行くのを、浅次郎はぼんやった。

り見送ったが、不意に弾かれたように起き上がると着物を着た。

外へ出ると、浅次郎は小走りに永倉町を南に走った。町端《はず》れの四辻で左右を見たが、女の姿は見えなかった。浅次郎はさらに、南に武家屋敷が左右に並んでいる通りに走り込んだ。前方から歩いてきた男が、驚いたように塀ぎわに身体を寄せて、浅次郎を見送った。南の空に寒々とした半月が懸かっていて、路はほのかな光に浮かび上がっている。

「冗談じゃねえや」

走りながら、浅次郎は呟《つぶや》いた。あれじゃまるっきり淫売じゃないか、と思った。消えた欲望と入れ替るように、腹立たしい思いが心を占め、浅次郎をやりきれなくしている。亭主はどうなるのだ、子供はどうなったんだと思った。追いついて、一体どういう仕掛けになっているのか、ひと言女に問い訊《ただ》すつもりだった。

花町の角に出たとき、三ノ橋の方に向かう女の姿を見た。浅次郎は走るのをやめ、足を早めた。橋のきわで、女の背に五間ほどの距離まで追いついた。

足音に気づいたように、女が振り返った。振り返ったまま、どうしたのか女はそのまま立止ってしまった。思わず浅次郎も足をとめた。

それから起こったことを、浅次郎は身体が凍りついたように茫然とみているしかなかった。

立ち止った浅次郎の脇を、音もなく追い越した人影があった。黒い人影は、そのまま三ノ橋に踏み込むと、抜き打ちに女の上に白刃を振りおろしていた。声もなく女が黒い影にしがみつき、そのままもたれかかるように、ずるずると橋板に崩れ落ちたのが見えた。叫び声も、呻き声も浅次郎は聞かなかった。

「町人」

刀を下げたまま、黒い影が引き返してきた。塚本伊織だった。

——斬られる。

と浅次郎は思った。

「お前も、この女と寝たか」

「へい」

浅次郎は顫《ふる》える歯を噛《か》みしめて、辛うじて答えた。

「申しわけござんせん、旦那」

「お前が悪いわけではない。悪いのはこの女だ」

塚本は暗い声で言った。月明りを背にしていて、表情は見えなかった。

「だが、二度とわしの前に顔を出すな。今度出会ったときは斬る」

塚本は言うと、くるりと背を向け、橋に戻るとしゃがみ込んで、倒れている佐江の身体を抱き起こし、背負った。

「旦那」

浅次郎は橋に駈け上がった。血の匂いが鼻を衝《つ》いてきた。橋板は夥《おびただ》しい血に黒く染まっている。

「斬っちまったんですかい」

言ったとき、浅次郎は不意に涙がこみ上げてくるのを感じた。涙声で言った。

「何も殺さなくとも、よかったんじゃありませんかい。むごいことをなさる」

歩きかけていた塚本が、ゆっくりと振返った。

「これは、わしに斬られる日を待っていたのだ」

「そんな、ばかなことがありますかい」

「これのしていることを、わしは薄うす感づいていたが、知らぬふりをした。そのときにあの金が入った。子供はぐあいがよくなっての。近頃は医者もいらんほどになっている。これで終りだと思った。ところがひと月ほど前のことだ」

「…………」

「これはある夜、淫売のように振舞った。ように、ではない。わしが抱いたのは、一人の淫売女だった。そのことに、これ自身は気づいておらなかったようだ」

「…………」

「何が始まったかはすぐに解った。何度か折檻したのだ、町人。これは、それでもわしの眼を盗んで、あるときは用事をこしらえて、夜の町に出た」

「…………」

「これはもう、わしの妻ではなかった。だがこうして漸《ようや》くわしの手に戻ってきた。これでよい」

「…………」

「さらばだ、町人」

塚本はゆっくり歩き出していた。その高い背から垂れた佐江の手足が、足の運びにつれてゆっくり揺れるのを、浅次郎は放心したように見送った。

奇妙に心を誘う物音が、遠くから聞えていた。横川べりをぼんやり歩いてきた浅次郎は、法恩寺橋まで来て、その物音が不意に轟きわたって身を包むのを感じた。

——御命講か。

すると今日は十月の十三日だと思った。音は橋を渡って左側にある法恩寺で打ち鳴らす団扇太鼓だった。潮騒のような題目の声も、橋まで聞こえてくる。

橋の上は人の往来でごった返している。浅次郎はいつの間にか、その人混みに巻き込まれ、寺の門前の方に運ばれていた。

法恩寺の境内は万燈を懸けつらね、その真昼のように明るい光の中を、ぎっしりと混んだ人が動いていた。門の前には屋台が並び、喰い物、水飴、手拭いなどを声張り上げて売っていたが、その声も寺の本堂を中心に、湧き起る題目の声に消されがちだった。

門を入った右にある石燈籠の下で、浅次郎は往き来する人の群をぼんやり眺めていたが、その眼がふと一点に吸いついた。

男の腕に縋《すが》って、一人の女が門を入ってきたところだった。女は前からきた人波に押し返され、顔をしかめて男の胸に取り縋ったが、人波が過ぎると男の顔を見上げて、何か言い笑いかけた。頰から顎にかけて、形よく引き緊《し》まった細面。細い眼。背丈けから浅黒い丈夫そうな肌の色まで、それはお弓に違いないと思われた。

連れの男は長身で、骨格のしっかりした若者だった。印半天《しるしばんてん》を着ていて、職人のように見える。男は耳に片手をあて、身をかがめてお弓の声を聞き取ろうとしている。やさしげなしぐさに見えた。

人波に揉まれて、男とお弓は浅次郎の方に寄ってきた。手を差し出せば触れる距離を、いまは確かにお弓に違いないと思われる、女の横顔がゆっくり通りすぎた。浅次郎は動かなかった。浅次郎は、その女の横顔に、一瞬塚本の妻女佐江の面影を重ねてみただけだった。

耳に轟いて、題目の声が続いていた。

冤《えん》罪《ざい》

一

いつものように、坂の上に出て下を見降した堀源次郎は、拍子抜けした顔になった。お目当ての娘の姿が見当らなかった。

坂は、ゆっくりした勾配《こうばい》で、下の雀町の屋並みに消えている。崖下に屋根を連ねているこのあたりの屋敷は、家中の中でも十石止まりの小禄の家が集まっていて、町端《はず》れの足軽町の長屋と、規模において大差はない。ただ足軽長屋と違って、庭だけはゆったりしていて、そこに畑を作っている家が多かった。

その娘も、坂を下りるとすぐ右手の家の庭で、よく菜畑に出ていた。父親らしい男と二人で鍬《くわ》を使っているのを見たこともある。母親や弟妹の姿を見たことがないのは、父親と二人暮らしだろうか、と源次郎は想像を逞《たくま》しくする。娘一人なら、いずれ婿《むこ》を迎えるわけだ、と考えはやはりそこまで行ってしまう。どんな奴が婿に来るだろう、とは考えない。自分がそうなり、畑のだだっ広さにくらべて構えの古びたその家に納まって、娘と一緒に鍬をふるっている姿を想像する。源次郎も家にいて、時々畑仕事にかり出されている。

源次郎の頭の中に、そういう想像が跋扈《ばっこ》するのは、二十一にもなって、手許不如意のまま、これまでついぞ女遊びをしたこともないということもあるが、じつはもっと差し迫った理由がある。

源次郎は、両親はとうに死んで、兄に養なわれている。兄の三郎右衛門は今年四十二の厄年、嫂《あによめ》の徳江が三十七で、源次郎からみると、親のような年配《まわ》りだが、だからといって、いつまでものうのうと飯を喰わせてもらっているわけにはいかない。堀家は貧しい上に、兄夫婦には十歳の竜江を頭に、五人も子供がいる。兄たちは何も言わず、子供たちも「叔父さま」などと慕ってくれるものの、近頃源次郎は、何となく下の方から尻を押し上げられている居心地悪さを感じる。

時どき次兄の作之助がうらやましくなる。作之助は、自分でさっさと婿入り口を見つけ、しかもどうわたりをつけたものか、百五十石で御徒《おかち》目付を勤める角田家という歴《れっき》とした役付きの家に縁づいて、もう六年ぐらいたつ。近頃は貧乏な実家などに寄りつきもしない。

源次郎も心掛けてはいる。藩中で目立つには、学問所で頭角を現わすか、市中の道場に通って剣の腕を磨くかするしかない。源次郎は、子曰クには早々に見切りをつけ、性に合った道場通いをせっせと続けている。昨年秋の八幡神社の奉納試合では、獅子奮迅《ししふんじん》の働きで三位を占めたが、それでどこかから婿の口でもかかるかと期待したが、何の音沙汰もなかった。

この焦りがあるから、散歩の途中見つけた坂下の家の娘にも、決して無関心ではいられない。勿論《もちろん》それだけが理由ではなく、源次郎の関心を惹《ひ》くだけの、魅力を娘は具《そな》えている。いくら婿入りが希望だといっても、相手が人三化七のような面相では、源次郎も考えこまざるを得ないが、その娘は十人並み以上の容貌で、やや小柄ながら要所要所の膨《ふく》らみが眩《まぶ》しく、釣り合いがとれた身体つきをしていた。

菜園を耕したり、洗い物を干したり、よく働くせいか、顔は小麦色に日焼けしていたが、少し尻上がり気味の眉の下の黒眸《くろめ》が大きく、きりっと緊った口をしているのが、美少年をみるような印象を与えた。年は姪《めい》の竜江よりひとつ二つ上に見えた。

一度源次郎は、道に迷ったふりをして、方角を訊《たず》ねたことがある。娘は恐らく父親と二人暮らしで、若い男と話すことなどないのだろう。緊張した表情で道を教えたが、ちらとのぞいた歯の白さが記憶に残った。

散歩のたびに、源次郎は娘の家の横を通るようになった。もっといえば、娘を見たいために、朝の散歩の道順を変えたのである。雀町は、堀家が住む鎧《よろい》町からは遠く方角違いである。坂下の家は、ある日偶然に見つけたのであった。

娘とは、時どき顔を合わせた。近頃は、源次郎が頭を下げるのに、娘も無言で挨拶《あいさつ》を返すようになっていた。もっとも娘は、そういうとき慌てたようにすぐ家の中に隠れる。娘のそういう人馴れない様子も、源次郎を惹きつけている。

つまり、うまくいっていたのである。そのうち娘の名を訊《き》き出したいものだ、と源次郎は思っていた。

その娘の姿が、こんなによく晴れた日に外に見えないことに、源次郎は少し気落ちしていた。大概時刻を測ってきているので、今日も姿を見られるだろうと、胸を躍らせながらきたのである。

源次郎はゆっくり坂を降りた。屋敷の隅に、高く枝を張った李《すもも》の樹があって、白い小さな花が枝を覆っている。家の前の菜園には、よく手入れされた菜畑があって、菜の葉が溜めている朝露に、日の光が弾けているのが見えた。

家の前まできたとき、源次郎はその家に異変があったことを感じた。門というほどのものはなく、生垣の間に押せば開く板戸がはさまっているだけだったが、その戸は、斜め十文字に、材木で釘づけされている。押したがびくとも動かなかった。

源次郎は生垣の上から家の方をのぞいた。玄関も縁側の雨戸もことごとく閉まっている。そして驚いたことに玄関の戸も雨戸も、門扉と同様に外から材木で押さえられていた。荒々しい何かの力が、外からこの家に加えられたように見えた。人の気配はまったくなかった。

――この二日の間に、何かがあったのだ。

と源次郎は茫然と思った。

昨日と、一昨日と、二日続いて雨が降った。大雨ではなく、時どきやんでその間に静寂《しじま》がひろがるような降り様だった。四月の雨は不快ではない。雨をうけてしきりに萌え出、あるいは伸びて行く木の芽、草の葉の気配が清《すが》すがしく感じられ、土はほどよく湿る。

この間源次郎は、午過《ひるす》ぎになってから矢部町の一刀流指南柄沢道場に行っただけで、あとは家の中にごろごろして過ごした。その間に、この家に何か異変があったのだと思われた。父娘がちょっと出かけたというのでは勿論《もちろん》なく、また旅に出たのとも違う感じがした。

青菜はよく伸び、李の花は枝が撓《たわ》むばかりに咲いていたが、それがかえって父娘の不在を物語っているようだった。

失望とも疑惑ともつかない、落ちつかない気分を抱いて、源次郎は早々に鎧《よろい》町の家に戻った。

戻ると、庭先の井戸端で、嫂《あによめ》が洗濯をしていた。高二十七石で、その上財政に詰まっている藩に十石も貸している薄給の家では、女中を置くなどということは思いもよらない。掃除、洗濯から食事の支度まで、すべて嫂の徳江がきりきり働いて済ます。子供たちが着るものも丹念に継ぎをあて、喰べものも、庭の隅に作った畑で夏の間の青物などはほとんど間に合わせる。畑は嫂を手伝って、源次郎も鍬を使う。坂下の家の娘に親近感を抱くのは、そういう似たような薄給暮らしも手伝っているようである。

「おや、お帰り」

と徳江は洗い物の手を休めないで言った。洗いものはもう二竿干してあって、徳江のそばには、まだ山のような汚れものが積んである。みると干してあるものの中には、源次郎の寝巻やら肌着やらが混っている。源次郎は何となく申しわけないような気分になってくる。

「よく倦《あ》きずに散歩すること」

徳江は屈託なく言った。徳江は、丈夫なたちで、これまで病気で寝込んだなどというのを見たことがない。寝込むのはお産をするときぐらいである。体格もよく、並より少し小柄に入る夫の三郎右衛門と並ぶと、ほとんど遜色ない身体をしている。貧しい堀家にはうってつけの嫁だったといえる。

源次郎がもの心ついた頃には、徳江はもう堀家の人間だったのだが、子供の頃源次郎は徳江を美しい人だと思った。体ももっとほっそりとしていたように記憶している。長い世帯の苦労の間に、徳江は頑丈《がんじょう》な身体つきになり、顔も小皺がふえた。

井戸から水を汲んでやりながら、源次郎は言った。

「散歩も身体を鍛《きた》えるためですよ。いずれ婿になる身。婿は身体が元手ですからな」

「それはそうね」

徳江は言ったが、不意に水に濡れて赤くなった手を口にあてて笑った。源次郎は、畑に出て鍬を使っていた、坂下の家の娘のことを考えながら言ったのだが、徳江は何か誤解したようだった。そういえば婿には、鍬を使うだけでなく、入った先の家系を残すという仕事がある。

「嫂上《あねうえ》」

源次郎は聞いた。

「坂下の雀町のあたりをご存じか」

「雀町？」

徳江は手を休めたが、すぐに首を振った。

「あのあたりは行ったこともありませんよ」

「…………」

「どうしました？」

徳江は洗濯に戻りながら、揶揄《やゆ》するように言った。

「雀町に、婿にきてくれという家でもありましたか」

二

その日の中《うち》に、意外なことが解った。

坂下の家の主、つまりあの娘の父親は相良《さがら》彦兵衛という名前で、藩金を横領したことが露見して城中で切腹させられたのだ、という。

「藩金横領というと、勘定方にでも勤めていたのかな」

源次郎は驚いて言った。勘定方なら、兄の三郎右衛門が勤めている。灯台もと暗しであった。

「そう。勘定方で十五石を頂いていた」

源次郎にその話をした道場仲間の重藤年弥が言った。重藤は、源次郎と似たりよったりの下級藩士の家の次男である。とくに昵懇《じっこん》という仲でもないが、稽古が終って、道場で五、六人が雑談しているときに、源次郎が坂下の家のことを話し、誰かくわしいことを知らんかと言ったのに、重藤が答えたのである。

重藤はひとつ下の二十だが、妙に世情に通じたところがあって、大人びた話し方をした。

「あそこに娘がいただろう」

と重藤は言った。

「ああ、二、三度見かけたな」

と源次郎は言ったが、何となく胸騒ぎがした。

「明乃という名前でな。なかなか別嬪《べっぴん》だった。じつは白状するとな」

重藤は頭を掻《か》いた。

「表町で買い物をしているところを見かけて、あの家まで跟《つ》けて行ったことがある。あわよくば婿に入りこもうと思ってな」

みんなどっと笑った。いずれも部屋住みの身分で、そういう話には切実な関心がある。重藤の気持も難なく理解できるのである。

「しかし調べてみると十五石だ。五石を藩に貸してあるとすると十石の身代だ。そこで俺は諦めたよ」

またみんなが笑った。源次郎も一緒に笑ったが、油断ならないものだと思った。散歩の途中、眼を見かわして黙礼するなどという生ぬるいやり方では、後《おく》れを取りかねない。

「その娘のことだが……」

と源次郎は思い切って言った。多少重藤に煽《あお》られた気味がある。

「その後どこへ行ったか知らんか」

「おや」

重藤がからかうような眼になった。

「貴公もあの娘に眼をつけていたのか」

「いや、そういうわけではないが……」

源次郎は少し赤くなった。性分で重藤のようにはあけすけに話せない。それに娘と黙礼をかわしたいばっかりに、雨の日、風の日をのぞいて半年もあのあたりをうろついたとはとても言えたものでない。

「何となく哀れな話だからな」

「俺も娘のその後までは知らん。いまのところ、別の方角に眼をつけているのでな」

道場を出ると、源次郎はやがて別れて雀町の方に向かった。花見川の川岸に出て、そこから八幡神社がある小さな丘にのぼり、丘を横断して雀町に降りるのが近道である。

坂の上に立つと、明乃という名前だという娘の家が見えた。丘の上から斜めに射し込む日が古びた家と、菜畑の青さが目立つ庭を照らしているが、汚辱の屋敷はひっそりしている。重藤の話によれば、相良《さがら》の家は、即日改易《かいえき》になったという。あの優しい雨が降った二日の間に、屋敷の当主は切腹を命じられ、娘はどこかに行ってしまったのである。

源次郎は坂を下って、相良の家の前に立った。今朝見たときのままだった。入口はすべて固く鎖《とざ》され、菜畑だけが青々としているのが異様な感じを与えた。ここまで来る間に、ひょっとしたら屋敷に娘が戻っているかも知れないという気がしたのは、はかない妄想に過ぎなかったようである。

——だが、なぜ金など横領したのだ？

と源次郎は思った。

横領した藩金というのが、どれほどの額なのかは重藤年弥も知らなかった。だがたとえ僅かな金にしろ、公金を横領するというのは、この家にも、また時々見かけた相良という男にもそぐわない気がした。そして明乃というあの娘にはもっともそぐわない気がする。

相良彦兵衛が、娘を相手に菜畑の手入れをしていたのを時々見た。源次郎は、そういうときは娘と眼を見かわすどころでなく、早々に家の前を通り過ぎたから、十分に記憶しているわけではないが、娘に似げないいかつい風貌の親爺だと思った印象が残っている。髭面《ひげづら》で、眉尻が上がったところが娘に似ていたようだ。年は兄の三郎右衛門より二つ三つ上のように見えた。

母親らしい人の姿を見かけたことがなく、子供も他にいないようだったから、恐らく父娘二人の暮らしだったのだろう。貧しいとはいえ、父娘二人だけの暮らしに、藩の金を使い込むほどの金が要るものだろうか。

短い草が生えているが、それはこの家を悲劇が襲って去った後のものだろう。庭はきちんと片附いて、生垣も手入れされており、清潔な構えの屋敷だった。主が公金を使い込むような家ではない、という気がした。

——兄に確かめる必要がある。

と源次郎は思った。

荒々しく材木で釘づけされた家をみると、その家が何か不当な迫害を受けているような違和感があった。

　夜の食事が終って、やがて子供たちが寝るために寝部屋に引っ込むと、堀家の茶の間は漸《ようや》く静かになった。いつもなら源次郎も自分の部屋に引きあげる時刻だったが、その夜は茶の間に残った。

「何か用か」

　と三郎右衛門が言った。三郎右衛門は城中の仕事の残りらしい帳簿を取り出して開きかけたが、源次郎が動かないのに気づいたようだった。

　嫂《あによめ》の徳江は台所に立っている。

「実は少々訊《たず》ねたいことがござる」

　源次郎は相良の家のことを話した。道場で噂を聞き、勘定方に勤める人間だと訊《き》いて驚いた、と言った。三郎右衛門は、帳簿に眼を落としたまま黙って聞いている。

　三郎右衛門は昔から無口な男で、二十で家督を継いでから、小心翼々とただ律儀に二十年余、城と家の間を往復してきた人間である。こんなに無口で、よく五人も子供をつくれたものだと、源次郎は感心することがある。

「相良殿が藩金を使い込んだというのは、事実ですか」

　と源次郎は訊いた。

しく、

「事実だ」

三郎右衛門はぽつりと答えたが、それだけではさすがに答えにならないと思ったら

「帳簿を改竄《かいざん》したのが露《あら》われたのだ」

と附け加えた。

「いつのことですか」

「三日だ」

果して、それは雨が降った二日前のことであった。

——しかし、それにしても処分が早過ぎる。

と源次郎は思った。

「それで腹切らされたわけですか」

「いや、明らかになると、その場で自分で腹を切った」

「相良殿は、娘御と二人だけのように見えましたが」

「そう」

「娘御が、それでどうなったか知りませんか、兄上」

「知らん」

「…………」

「相良とは、特別のつき合いはなかったのでな」

三郎右衛門は言い訳するように言った。

「じつは、妙なことでそれがし相良殿と面識がございました」

源次郎は嘘を言った。だが三郎右衛門は無表情に帳簿に眼を落としているだけだった。

「見たところ、そのような悪事を働くような人間には見えませんでしたが、勘定方の評判は、日頃どのようなことでございました？」

「別に」

三郎右衛門はぽつんと言った。

「変ったこともなかったがの。今度のことはみんな驚いた」

初めて三郎右衛門は顔を挙げて、じっと源次郎を見た。

「源次郎」

「はあ」

「相良殿のことは、お上から処分が下ったことだ。妙なことを聞いて回らん方がいいぞ」

「わかりました」

源次郎は答えたが、本当にそう思ったわけではなかった。相良一家と藩金横領という罪がしっくりしない感じは依然として残っている。兄に訊《たず》ねて、何かが解ったという気はしなかった。かえって疑惑が濃くなった感じがした。相良は普通の勤めぶりだったという。

「使い込んだ金は、いかほどでした？」

「ざっと五百両だった」

「五百両？」

源次郎は驚いた。

——相良はその金をどうしたのだろうか。

「で、その金は見つかりましたか」

「いや、相良殿の屋敷では見つからなかったそうだ」

「すると使ったものですかな？」

源次郎はひとり言のように言った。

「何に使ったと、兄上は思われますか」

「さあ、わからんな。見当もつかん」

「女がいたのかも知れませんな」

源次郎は言ってみた。しかし相良のあの風貌からして、それは一番当っていない見方のように思われた。疑惑がさらに深まるのを、源次郎は感じた。

——そして、明乃はどこに行ったのだろうか。

三

禅念寺の和尚《おしよう》に会ったのは、十日ほど経ってからだった。芳西という六十近い僧はすぐに会ってくれた。

「いかにも、相良家は檀家でございますから、当寺で葬いました」

と芳西は言った。

同役の兄に訊《き》いて、あの程度のことしか解らないとなると、相良彦兵衛のことも明乃の消息も、これ以上誰に訊ねようもないと源次郎は一度は諦めかけたのである。相良家は藩中に親戚もなく、遠い縁続きのものが他藩にいるだけだった。だが重藤のように、明乃のことを思い切って、別の方角をあたるというようなことは出来そうもなかった。いなくなってみて、初めて源次郎は明乃が自分の胸の奥深くまで入り込んでいたのに気づいたようだった。

また雀町に出かけて、相良の北隣りの家を訪ねてみた。何か手掛りはないかと考えたのだが、予想したように、その家では藩の科人《とがにん》である相良家に係わり合うのを恐れるように、初めのうち何も話したがらなかった。

ただ三日の夜、相良の家が騒がしい感じで、人が出入りしているのが解った。不審に思っていると翌朝、僧一人と寺男らしい人間が二人、荷車を引いてやってきて、明らかに人を包んだと思われる菰《こも》包みを運び出し、車に乗せて去った。明乃が一緒だった。

雨の中を去って行く車を、隣家の妻女は、台所の格子窓から見送ったのである。昼過ぎになると、人足を四、五人伴った武士が現われて、またたく間に相良家の出入口を釘づけして去った。相良彦兵衛が、罪を得て城中で切腹させられた、ということは、その夜、城から下がってきた夫に聞いたのであった。

「娘御がどこに行かれたか、などということは、すると解りませんな」

源次郎は念のために聞いた。

「存じません。あの朝家を出るところを見ただけですから」

と妻女は固い口調で言った。源次郎の眼に、父親の骸《むくろ》を運ぶ車と一緒に、雨の中を去って行く明乃の姿が浮かんだ。突然訪れた不幸を、あの娘はどのような気持で迎えたのだろうか、と思った。

「あの……」

妻女の眼が源次郎を見つめている。どこか怯《おび》えたいろを含んでいる眼だった。

「あなたさまは、お調べの係のお方ですか」

源次郎のかなりしつこい問い訊《ただ》し様から、妻女は藩の大目付配下か、町奉行所の者かと思っている様子だった。

「これは失礼」

源次郎は姓名を名乗った。自分は、相良家の娘との間に縁談があったもので、話がこれからという矢先に、相良家は断絶、娘は行方知れずという有様で、当惑していると言った。

「まあ、それはお気の毒に」

妻女の眼にたちまち同情が浮かんだ。妻女は見たところ嫂《あね》の徳江と似た年恰好《かっこう》だった。この年頃の女が、この種の話題を嫌いでないことを、源次郎は嫂をみて知っている。何家の何某と誰それが恋仲だが親が許さないそうだとか、何家の誰は、あれだけの器量を持ちながら、嫁ぎ先の家風に合わず、半年で不縁になって戻ったとかいうたぐいの話である。中でも彼女たちは悲劇を好む。

誰某がいい家に嫁いでしあわせだそうだ、などと噂が伝わると、「お家にいらした時分は、口のききようも知らない無作法な娘でしたのにね」などとアラを言い立てるくせに、なにがしの娘が、子を生むと間もなく、若い身空で死んだなどという話には、惜しみなく紅涙を絞るのである。

嫂の徳江なども、どこからかそういう噂を仕込んできては、あの忙がしい暮らしのさ中に、源次郎や娘の竜江をつかまえてはそんな話を聞かせ、しまいには自分で話したことに自分で感動して涙ぐんだりする始末である。

その家の妻女は、まして嫂のように忙がしそうには見えなかった。怯えた表情などはとっくに消えて、まのあたりに見る悲劇の主人公を、傷《いた》ましげな眼で見つめ、

「お気の毒なこと。お気持はお察し申します」

と言った。図に乗って源次郎も調子を合わせた。

「話がまとまれば、明乃どのはわが妻になる筈の娘でござった。行方が知れないからと申して、このまま打ち捨てておくことは参らんといった気持です」

「あなた、あなた」

妻女はいたたまれないように言った。

「よいことがございます。ちょっとお待ちなさいまし。ここを動かないで、いて下さい」

妻女は源次郎を三和土《たたき》に残して、慌《あわただ》しく下駄をつっかけて外に出て行った。

間もなく妻女は下駄の音をひびかせて帰ってきたが、玄関を入ると勝ち誇ったように声を張った。

「お寺さまが解《わか》りましたよ」

相良家の菩提所は、城下から半里ほど西にある清水村の禅念寺で、遺骸はそこで引き取った筈だと言った。近所で確かめてきたらしかった。

「禅念寺さんに聞けば、明乃さまの行方もきっと知れますよ」

源次郎は礼を言った。どこかの墓地に相良彦兵衛を葬ったはずだと思い、このあたりで何の手掛りも摑《つか》めなければ、三十幾つもある城下の寺院を片っ端からあたってみるしかないと思っていたのである。

それがこんなに早く知れたのは幸運だった。まして相良家の寺が、郊外の村にあるとは考えていなかったのである。

「いえ、あなた」

妻女は、いまはすっかり好意の籠《こも》った眼で源次郎をみながら言った。

「早く探して上げて下さいまし。明乃さまもあなたさまがいらっしゃるのを、きっと待っておいでですよ」

薬が利きすぎたかと、源次郎は少々気がひけたが、気持から言えば、まるっきり嘘を言ったわけではないと思った。奇妙なことに、妻女にそう励まされたとき、源次郎は、明乃がどこかで自分を待っているに違いないような気がしたのであった。

だが、禅念寺の和尚は、雀町の妻女のようにはいかなかった。

「なぜ、そのようなことを訊《たず》ねられる？」

源次郎が明乃の行方を聞いたのに対して、芳西はそう問い返した。芳西は微笑していたが、その眼は意図を探るように、じっと源次郎の顔に注がれている。娘との間に縁談があった、などという法螺《ほら》ばなしを、ここでも持ち出すわけにはいかなかった。

源次郎は正直に言った。散歩の途中、いつも親娘を見かけ、きちんとした暮らしぶりをみている。親娘の印象から言って相良彦兵衛が、藩の公金を横領したという話は信じかねる。顔見知りの娘も、哀れに思うので、その話を確かめる手掛りを得たくて、ここまで来たと言った。

「それだけですかな」

と芳西が言った。芳西の表情に、揶揄《やゆ》するようないろがある。いやな爺さんだ、と源次郎は思った。

「その娘御に、心惹かれていなさったようですな」

「いや、そこまでは」

源次郎は赤くなって抗弁した。

「きれいな人ではござったが、そこまではっきりした気持はござらん。何しろ先方は何も知らん話で」

芳西は笑ったが、残念ながら娘の行方は知らないと言った。

「遺骸を運んで経を読んでさし上げた。相良さまは時どき寺に見えて、わたしとも碁を打ったりする仲でしてな。科人《とがにん》とは言え、自裁なさった人を粗末には扱えません。丁寧に葬ってさし上げた」

「それで明乃どのは？」

「一晩寺に泊めてさし上げた。気持が落ちつくまで、ここにいなされと言ったが、次の日出て行かれたな。行くあてがあると申された」

源次郎は芳西から眼をそらして、窓の外を見た。庫裡《くり》のその窓から、庭と遠い三門がみえる。庭には植え込んだつつじの花が盛りで、夥《おびただ》しい赤い花が日に映えている。その花の間を斜めに、白い道が横切り、道は三門を潜って外の田園に消えている。

その道を、罪名を着て死んだ父の子として、明乃は去って行ったのだと思った。哀れだったが、それよりも明乃が不当に不幸な目にあわされたような気が強くした。

「御坊はどう思われますか」

源次郎は不意に、きっと芳西を振向いて言った。

「相良殿は、よくここに見えられたというお話ですが、そのような悪事を働くような人に思われましたか」

「とんでもないことです」

芳西は、眼を瞬《しばた》いてゆっくり言った。

「わたしが相良さまから、日頃感じていた印象は、まったく逆ですな。あの方ほど、悪事に縁遠い人はない。そういうお人柄にお見うけした」

「公金を横領して、女に使うなどということは、すると考えられませんな」

「そんなお方ではありません」

芳西はきっぱり否定した。

「横領という事が事実なら、魔がさしたとしか考えられません。だがそれも不思議な話でしてな。何に使う金が欲しかったか、さっぱり見当もつきません。娘御にも訊《たず》ねてみたが、全く心当りがないと申しておりました」

「それがしが不審を持ったのも、そのあたりでござる」

「あなたさまばかりでありませんぞ。市川さまも、そう言っておられた」

「市川と申すと？」

源次郎は眼を光らせた。

「やはりご家中で、相良さまと同じく勘定方に勤めておられる方でな。かのお方もこの寺の檀家でござって、お見えになる」

「市川はどう言いました？」

「納得できかねると申しておられましたな」

市川という男の見方は、同じ勘定方に勤めながら、兄の三郎右衛門とは異っているようだった。

「ここだけの話にして頂きたいが……」

芳西は不意に声を落とした。

「相良さまは、上役の方と仲悪《あ》しゅうござったようですな」

「ほう」

源次郎は、胸の中で何かがことりと音がしたように感じた。

「わたしも相良さまから一、二度聞いたことがありますが、市川さまもそれを申されました」

「上役というのは誰ですか」

「黒瀬さまというそうですな。御勘定組頭を勤めるお方だそうです」

一刻ほどいて、源次郎は礼を言って立ち上がった。これから会うべき二人の人間の名前が胸に畳みこまれている。初めに市川六之丞という兄の同僚に会うべきだろうと思った。

「明乃どのは、どこへ行ったと思われますか」

「さあて」

芳西は首をかしげた。

「あの娘御は、どこへ行くとも申されなかったのでな」

「隣国に縁辺《えんぺん》の者がいるという話ですが、そちらに行ったとは考えられませんか」

芳西は、無言で首をひねっただけだった。

四

「どう考えても、くさいのだ」

と市川は言った。

「なにかあるという気がしてならん」

市川は細い身体をし、喉仏が異様なほど飛び出して、鳥のような風貌をしている。

しかし源次郎を部屋に通してから、話を聞き終るまで、にこりともしないで源次郎を見つめていた。三十過ぎで、気性の激しい男のようだった。

「なにかあると申しますと？」

「何があったかは解らん。だが裏がある気がするのだ」

「しかし」

と源次郎は言った。

「市川殿も始終を見ておられたわけでしょう」

「それがしは見ておらん」

市川は驚くべきことを言った。

「見ておられない？　しかし兄は、みんながいたと申しましたが」

「いや、それがしはあの日、三日だったな？　あの日は風邪をひき込んでいて、下城の太鼓が鳴ると早々に帰ってきたのだ。加納と仙崎が一緒だった。事件はその後で起った」

「市川殿がおられたうちに、そういう話はまだ出ていなかったわけですか」

「さよう。だから、後に組頭と相良《さがら》、貴公の兄三郎右衛門殿、ほかに野瀬一馬、早川惣助など九人が残っていた。そこで帳簿云々の話が出たというわけだな」

「兄はそう申しておりました」

「三郎右衛門殿は律儀なお人だ。嘘言を構えるような人柄ではない。野瀬にしろ、早川にしろ、あるいは泉田徳蔵にしろ、何かを隠しておるとは思えん」

「それでも納得しかねる？」

「貴公、相良殿に会ったことがあるか」

「顔を合わせたことはありますが、話したことはありません」

「顔を知っているだけで十分だ。あれが藩金を使い込む顔に見えるかな？　しかも五百両という大金だ」

「思いません」

「相良が五百両を懐にして、盗人かなにかのように城から持ち出したなどということが考えられるか、馬鹿な！」

「…………」

「俺に言わせれば、勘定方に勤めていて、もしも不正を働きそうな人間がいるとすれば、組頭をおいて外にない」

市川は激しい口調で言ったが、さすがに言い過ぎたと思ったらしく、はっとした顔になって口を噤《つぐ》んだ。

源次郎がその言葉に喰い下がろうとしたとき、襖が開いて、市川の妻女が茶を運んで入ってきた。

「いつも堀さまにはお世話になっております」

妻女は丁寧に挨拶《あいさつ》をした。痩《や》せて干し魚のように筋張っている市川にくらべて、妻女はまるまると肥って、お茶をさし出した指なども赤ん坊のようにくびれている。

「奥さまはお変りございませんか」

と妻女は嫂《あによめ》のことを言った。その顔をみて、源次郎は、この妻女が風呂敷包みなどを持って、時候の挨拶にきていたことを思い出した。あの頃、市川は家督を継いで間もなく、勘定方では古参株の兄に挨拶に来たのだろうと思った。妻女と源次郎が話している間、市川六之丞はむっつりと腕を組んでいる。市川はこの家の婿なのかも知れない、と源次郎は思った。

妻女が去ると、源次郎は早速言った。

「組頭が不正を働いた形跡でもあると、そうおっしゃるのですか？」

「いや、そうは言っておらん」

市川は、さっきの勢いに似げないひるんだような口調で言った。

「勘定方にいて算盤《そろばん》をはじいているような人間は、大概善人が多くてな。金を費《つか》い込むなどということは考えられん。ただ組頭は、勘定方とは言え、少々毛色が違うと言っただけだ。あの人は暮らしの派手な方だ」

「相良殿は……」

ふと閃《ひらめ》いた大胆な考えを、源次郎は口にした。

「組頭の不正を見つけてそれを責め、城中で斬られた、とは考えられませんか」

「そんなことは、俺は知らん。俺に解っているのは、相良彦兵衛は悪事を働くような人間ではないということと……」

不意に顔を真赤にして市川は言った。

「組頭が無能かつ横暴なために、みんな頭を痛めておるということだけだ。相良もそのことに腹を立てていた。そうなのだ。あの人は無能な、ただの遊び人に過ぎん」

頭を下げて源次郎は立ち上がった。

市川の屋敷を出ると、源次郎は立ち止まって思案した。日は城下町の西に連なる波切山の、なだらかな丘陵に落ちかかっている。だが清水村は僅か半里弱の道のりである。

——もう一度、禅念寺の和尚に会って来よう。

決心すると、源次郎は足早やに歩き出した。黒瀬隼人という組頭に対する疑惑が、頭の中に膨《ふく》れ上がっている。

さっき市川六之丞に、思いつきのように言った言葉は、考え直してみるとあり得ることのように思われてくる。その方が、相良彦兵衛という、気難しげな髭面の明乃の父が公金を横領したと考えるよりは、よほど自然に腑に落ちてくる。そういうことがあって、兄たちその場に居合わせた者たちは、黒瀬に恫《おど》されてあのように口裏を合わせているのではないか。

しかしそれを兄に問いつめても、期待したような返事を得るのは無理だ、と源次郎は思った。五人の子供に、弟の源次郎まで養うために、兄は二十年余、雨の日も風の日も城に通い続けてきた。その間二十七石の家禄は、米一俵もふえることがなかったが、その禄を守るために、小心翼々と勤めて今日まで来たのである。仮りに黒瀬に恫されたら、ひとたまりもなく同意したろうし、源次郎が問いつめても恐らく貝のように口を鎖《とざ》すだけだろう。

もしまた、源次郎の問いに、追いつめられた兄が無器用に嘘をつかねばならないとしたら、そんな兄の姿は見たくないとも思った。芳西和尚は、昨日の今日また現われた源次郎をみて驚いたようだったが、上がれと言った。

「いや、もう遅うござるゆえ、今日はこのまま立ち帰ります」

ただ少々聞き匡《ただ》したいことがあってきた、と源次郎は言った。芳西は黙って源次郎の顔をみている。

「昨日、御坊は相良殿の口から、上役つまり黒瀬殿と仲が悪いということを聞いたと申されましたな」

「さよう」

「そのとき相良どのが話されたことを、お聞きしたい」

「…………」

「黒瀬殿について、いろいろと話があったと思うのだが……」

「何しろ古い話で……」

芳西は首を傾《かし》げた。

「そういう話が出たのは、今年の正月の話じゃから」

「憶《おぼ》えておることだけで、結構でござる」

「人物を言っておられましたな。仕事の中身を知らぬくせに威張るとか、苦労知らずの二代目で遊びが過ぎるとか。黒瀬さまという方は、中老の黒瀬忠左衛門さまの御曹子だそうですな」

ほう、と源次郎は思った。黒瀬忠左衛門は、顔は見たこともないが、名前は知っている。藩政を担当している実力者だった。

「そうそう」

芳西は額に上げていた手をおろして、早口に言った。

「一度帳簿を調べる、と申されたことがありました」

「それは？」

源次郎は不意に身体が引きしまるのを感じた。

「やはり正月のことでござるか」

「いやいや、それは近い話で。この春の彼岸の墓参に来たときの話でございましたな」

「そのことで、もっと何か言っておられなかったか」

「いえ、それだけの話でした。何のことかと私も訊《たず》ねたのですが、黙って笑っておられましたな」

お邪魔したと、源次郎は詫《わ》びを言った。黒瀬に対する疑惑が、さらに膨れ上がるのを感じていた。帳簿を調べたのは、黒瀬ではなく、相良彦兵衛の方なのだ。恐らく何か不審なものを感じて、相良は帳簿を調べ、それが改竄《かいざん》されているのを発見したのだ。そして口論になって殺された。

兄たちはそれを見過し、黒瀬の言のままに死者に罪を転じることに同意した。市川六之丞がその場にいたら、そうは運ばなかったかも知れない。この推測は、ほとんど間違いないと思われた。

「御坊」

源次郎は言った。

「何か相良殿が書かれたものが、この寺にござるまいか」

「さて」

芳西は言ったが、じっと源次郎をみた。

「それを何とされます？」

「それが、相良殿の汚名を雪《そそ》ぐ手がかりになるかも知れません」

芳西はうなずいて引っ込んだが、やがて相良彦兵衛が芳西あてに書いた手紙を持ってきて渡した。いかにも相良の手蹟らしい、几帳面な字だった。

礼を言って、源次郎は足を返したが、思いついて相良家の墓はどこかと聞いた。

「お参りして下さるなら、ご案内させますかな」

芳西はそう言ったが、源次郎はそれを断わって墓地にのぼった。墓地は禅念寺の本堂の右手にあって、そこはゆるやかな勾配になっている。合歓《ねむ》の木や、白い花をつけたぎしゃの木を混えた小楢の雑木林に囲まれて、墓地はひっそりと日暮れの光の中に傾いていた。日は波切山の陰に落ちたようだったが、空にはまだ日射しが残り、墓地の中は墓を探すのにとまどうほど暗くはない。

教えられた位置に、源次郎は相良家の墓を見つけた。だがその墓で、源次郎は新しい卒塔婆のほかに、供えられた一束のあやめと線香を見た。

源次郎は凝然と線香と花を見つめた。線香はまだくすぶっていて、薄い煙が地を這っている。誰かが相良家の墓を訪れ、立ち去ったのである。しかもそれはそんなに前のことではない。

明乃かも知れない、という気がした。源次郎は身をひるがえすと、走るように墓地を下りた。三門まで来ると、田圃《たんぼ》の途中まで、真直《まつすぐ》に通した道が見えた。だが白い砂利を敷きつめた道に、人影は見えなかった。

五

中老黒瀬忠左衛門の屋敷は広大で、座敷に通されるまで、三度も廊下を曲った。ひとりになると、障子の外に水の音がした。来るときは暗くて見えなかったが、庭があってそこに滝が落ちている気配だった。

「やあ、お待たせした」

声がして、若い男が入ってきた。まだ三十前に見える優男《やさおとこ》だった。皮膚のうすいのっぺりした顔だが、美男子である。唇の薄いのが眼についた。

「貴公、三郎右衛門の弟だそうだが、俺は貴公のことを知っているぞ」

黒瀬隼人はざっくばらんな高声で言った。

「秋の奉納試合で三番だったな。あの最後の試合は惜しかった。俺も日枝町の鳴海弥一郎の道場に通ったから、多少は見える。あの試合はほとんど互角だったぞ」

「今夜は、そういう話をしに来たわけではありません」

と源次郎は言った。

「解っておる、解っておる。兄貴のことで、何か願いごとでもあって来たのでないか。しかし禄をふやせなどということは、今は無理だの。知ってのとおり、藩はいま金がなくて火の車だ。親爺たちが一所懸命のようだが、土台少ない金をうまく回そうと思っても、なかなか思うように行く筈がないわ」

多弁な男だった。薄い唇がよく動き、その間に細い眼に、ちらちらと光が走って、油断ならない人柄を感じさせる。

「その少ない藩金を、五百両も齧《かじ》った相良彦兵衛のことで、少々おうかがいしたいことがあって参りました」

「相良だと？」

黒瀬はぴたりとお喋りをやめ、露骨に不快そうな顔をした。

「あの男のことは聞きたくないな。配下の者から、とんだ不心得者が出て迷惑しておる。俺も父上にきつく叱られた」

「まげてお聞き頂きたく存じます」

「ふん」

黒瀬は薄い唇を曲げた。

「申せ」

「藩中に、相良彦兵衛が藩金を横領したというのは、納得しかねるという声があります。ご存じでございますか」

黒瀬は細い眼を一層細めて、じっと源次郎を見つめたが無言だった。

「横領した科人は別にいて、相良は逆にそれを咎《とが》めて城中で斬られたのではあるまいか、という推測がされているようです」

「誰がそのようなことを言った？」

「誰ということは申し上げられません」

「三郎右衛門が申したのではあるまいな」

「いや、兄は相良殿が腹切るのに立ち会ったと申しておりました」

「その通りだ。確かな証人が何人もいる」

「だがもし、相良が咎めた人間が上役で、皆が口止めされたと考えれば、話は別になります」

「その上役が俺だというわけか」

黒瀬は嘲《あざけ》るように笑った。

「妙な作り話がはやる」

「作り話でござろうか」

源次郎は黒瀬の笑いには応じないで、強い視線をあてた。ここに来るまでの間、源次郎は茶屋が軒をならべる紅梅町を歩き、黒瀬のことを訊いてきている。黒瀬は派手に遊んでいて、金使いは去年の秋頃から、急に荒くなっていた。この調べに三日かかっている。

「昨年の秋から、紅梅町でだいぶ派手に遊ばれたようですな」

黒瀬の顔に、初めて狼狽したような色が浮かんだ。

「茶屋の名前も申しましょうか。江戸屋、橘屋、月の家。馴染みの芸妓の名も申し上げますか」

「やめろ」

黒瀬が甲《かん》走った声を挙げた。

「そんなことが何の役に立つ。俺は黒瀬の後継ぎだぞ。そのぐらいの遊びは、自分の金で出来るわ」

「では四月三日。相良の切腹騒ぎの後、ぴたりと遊びが止んだのは、どういうわけですか」

「…………」

「ここに、こういうものがあります」

源次郎は懐から相良が芳西和尚に当てた手紙をとり出した。勿論中身だけである。

「これは相良彦兵衛が、さるところに出した手紙です。相良の手蹟がよく出ています。相良は帳簿を改竄《かいざん》して、金をくすねたそうですが、この手蹟と相良が書き直したという帳簿を照らし合わせれば、藩金横領の科人が誰か、一目瞭然でしょう」

勿論恫《おど》しである。実際には御勘定吟味方改役に帳簿を仔細に点検してもらえば解ることだが、源次郎には、そういう手続きを踏む手蔓《てづる》がない。

「これを、吟味方に提出して、帳簿を調べてもらうつもりでいます」

黒瀬は青い顔になっていた。低い、押さえた声で言った。

「何のために、貴公がそんなことをやる」

「相良彦兵衛とは、いささか面識のある間柄でござる。冤罪《えんざい》を蒙《こうむ》ったままでは、相良が墓の下で辛かろうと存じたまでです」

源次郎は一礼して立ち上がった。行燈《あんどん》の脇に坐ったまま、黒瀬が源次郎を見上げた。表情が醜くゆがんでいる。

「余計なこととして、兄貴の身がどうなっても知らんぞ」

「その前に、藩金横領でこなた様が腹切ることになりませんか」

冷ややかに言って源次郎は背を向けた。

――十分過ぎるほどの手応えだ。

と仄《ほの》暗い道をゆっくり歩きながら源次郎は思った。藩金を横領したのは、黒瀬に間違いないと思われた。だがその確かな証拠はまだない。相良の手紙など、正式に吟味方に提出したところで、忽《たちま》ち途中で握り潰されてしまうだろう。帳簿の照合などというところまで行く筈がないと解っている。本人を自白させて、いきなり大目付の役宅まで引きずって行く。それしか手がないと源次郎は思っていた。今日は相手を惘して、動きを引き出すために行ったのである。

後で微かな足音がした。意外に早く、敵は網にかかってきたようだった。

薄曇りの空のまま夜になったが、雲の裏に月がのぼっているらしく、物の影はぼんやり見分けがつく。そこは上士屋敷をはずれたところで、二間幅ほどの川に架かっている橋の手前だった。川向うは町家である。

川音が聞こえてきた。そう思ったとき、背後から足音が迫って、風を斬る太刀音がした。左に大きく飛んで躱《かわ》すと、源次郎はすぐに抜き合わせた。

加勢を連れてくるかと思ったら、人影は黒瀬一人だった。

黒瀬は無言で斬り込んできた。鳴海道場で修行したと言っただけのことはあって、骨法にはまった太刀の使い方だったが、源次郎は余裕をもってそれを躱《かわ》した。

「相良の手紙を奪いに来たか」

と言った。が、黒瀬はそれに答えるゆとりを失なっているようだった。短かい呪詛《じゅそ》の言葉を吐き、荒い呼吸を吐きながら、休まず斬りかけてくる。

上段から斬り込んできた刀を、柄元《つか》で受けとめると、源次郎は容赦なく押した。黒瀬に踏張り、刀をふりほどこうとしたが、源次郎の刀は相手の刀に絡《から》みついたように離れない。黒瀬は押され、川っぷちまで押し込まれた。相手が必死の力で押し返してきたのを、源次郎は不意に力を抜き、同時に足を絡めた。

勢いよく上体を伸ばしたまま、黒瀬は地面に腹這って落ちた。黒瀬の手から刀が飛んだのを、源次郎はすばやく足で蹴って言った。

「さ、大目付の針谷殿の屋敷まで行こう。今夜あったことを全部話すことだな。勿論《もちろん》藩金を横領して、相良に罪を着せたこともな」

「そんなことをすると、後悔するぞ源次郎」

黒瀬が言った。黒瀬はふてくされたように、地面に胡坐《あぐら》をかいている。

「後悔？」

「そうだ。いかにも俺は公金に手をつけた。だが俺が相良を斬ったというのは、貴様の思い違いだ」

「…………」

源次郎は声を呑んだ。悪い予感が身体を走り抜けた。

「相良は、あのときいたみんなに殺されたのだ。嘘だと思ったら三郎右衛門に訊いてみろ」

「話せ。おい、くわしく話せ」

源次郎は黒瀬の鼻先に、刀を突きつけた。

「嘘を混じえたら承知せんぞ」

「金を使ったのは俺だと言っている。嘘など言うか」

その日、相良は改竄《かいざん》した帳簿を突きつけて、激しく黒瀬を面罵した。吟味方改役に帳簿を提出すると言った。先に刀を抜いたのは黒瀬である。相良も剛直な男である。すぐに抜き合わせた。すでに総立ちになっていた部屋の中の者が、それをみてわっと飛びついて相良を押さえた。その時折重なってみんなが倒れた。みんなはすぐに起き上がったが、相良だけ起き上がらず、身体を海老《えび》のように曲げて、苦悶の声を挙げた。みると、脇腹を自分が持っていた刀で刺し貫いている。

「これが真相だ。あとは言うまでもなかろう。みんなわが身がかわいい。相良が腹切ったことにしたのだ」

「ついでに罪を相良にかぶせて、みんなの口を封じたか。汚い奴だ」

「汚いのは、なにも俺だけでない。大目付に訴えてみろ。貴様の兄も、ほかの連中もただでは済まんぞ。それでもやるか」

黒瀬のいうとおりだった。過失で相良を死なせたという言い分を、大目付は容易に信じることはしないだろう。源次郎は刀を鞘におさめた。

「立てよ、おい」

黒瀬は、刀を拾ってのっそり立ち上がった。

「行ってよい」

後ずさりに歩き出した黒瀬の腕に、源次郎は腰をひねると鋭い峯《みね》打ちを浴びせた。吼《ほ》えるような苦痛の声を挙げて、黒瀬の身体が横転した。

「腕が折れただけだ。そんなものはすぐ直る。だが死んだ者は帰らんぞ」

源次郎は歩き出した。死んだ者も帰らないし、どこへともなく去った明乃も帰らない、と思った。虚《むな》しいものを追いかけてきた思いが、胸を満たしてきた。

六

三郎右衛門が出かけるところだった。

狭い式台にひざまずいて、嫂《あによめ》が刀を渡す。三郎右衛門は刀を受け取って腰に差しながら、

「今夜は少し遅くなる」

と言った。

「何かございますか」

「組頭が怪我をされてな」

「おや」

徳江はびっくりしたように、夫を見上げた。

「どうなさったのでございましょうね」

「転んで腕を折ったそうだ。昨日から出ては来られたが、仕事にならん」

「さようでございますか。それでお仕事がふえて」

「さよう。当分の間、組頭の分まで儂《わし》がみるように言いつけられた」

組頭代理だと言いたかったらしかった。それを言いたくて、三郎右衛門は珍らしく長ながと喋ったようであった。

「それはそれは」

二十年近くも連れ添った夫婦で、そのあたりの亭主の気持は、すぐに嫂に伝わるようであった。弾んだ口調で言った。

「ごくろうさまでござりますなあ」

喋り終って、またむっつりと背を向ける三郎右衛門に、嫂の徳江は、

「行っておいでなされませ」

と、やはり弾んだ声をかけた。

組頭の代理といったところで、一俵の扶持《ふち》もふえるわけではあるまいに、と源次郎は馬鹿らしくなる。だが兄夫婦にとっては、そういうささやかなことも、日頃の三郎右衛門の仕事ぶりが上の方から認められた、という喜びになるものらしかった。

三郎右衛門の姿は、格子戸をはめた門までの短かい道を、少し背をまるめて歩いて行き、すぐ道に出た。道に出たとき、明るい日射しが三郎右衛門の全身を包むのが見えた。

――ああして、兄はこれからも城に通い続けるのだ。

と源次郎は思った。妻子を養うためには、同僚を過失で死なせたことにも、死んだ同僚が冤罪を着て家を潰されたことにも、眼をつぶり、口を噤《つぐ》み、ひたすら事なかれと通い続けるのである。そういう兄を、非難出来ないのを、源次郎は感じる。兄の生き方は、どこかもの哀しいが、源次郎の非難など受けつけない強靭なものを秘めているようにも思われた。まるめた背が、源次郎が七つの時に死んだ亡父に似てきた、と思う。その背に、兄は小禄ながら五代にわたって続く堀家の、ずっしりとした重味を背負って、城と屋敷の間を往復している。

「おや、ご飯は？」

夫を見送って立ち上がった嫂が、そこに立っている源次郎をみて言った。

「もう頂きました」

「あら、大変」

嫂は大げさに言った。

「あなたに、おいしい漬物を出して上げようと思っていましたのに」

嫂の徳江はいつも源次郎の喰い物に気を使っている。喰いたい盛りの十八、九の頃、源次郎が喰べ過ぎて、その後兄夫婦が食を詰めていたのを見たことがある。そんなことがあったせいか、徳江は源次郎を根っからの大食漢だと思い込んでいて、近頃はやや食が減った源次郎にいまも時どき、若い人はたっぷり喰べなきゃだめ、などという。

兄の今朝の言葉によれば、黒瀬は三郎右衛門に対して陰湿な報復に出るということはしないらしい。兄夫婦のことを考えると、源次郎はやはりほっとする。

「出かけてきます」

と、源次郎は言った。

「道場ですか」

「いえ、今日はちょっと足をのばして、村の方を歩いてきます」

「婿入りにそなえて鍛えるのも大変なことね」

徳江は前に源次郎が言ったことをおぼえていて、そう言いながら笑った。

「村方に行くのなら、茄子《なす》の苗を買ってきてもらおうかしら」

「心得ました」

徳江に渡された金を握って、源次郎は外に出た。

城下を出ると、代掻《しろか》きが済んで苗を植えるばかりになっている田圃《たんぼ》が、一ぱいに水を張ってひろがっている。燕がその上を飛び交って、田に動く虫を拾っていた。

田がとぎれ、ゆるい丘になった。このあたりはもう清水村で、道の左右にはきれいに手入れされた畑が続いている。丘をひとつ越えると禅念寺がある清水村の聚落《しゅうらく》がある。丘は左手にゆっくり起伏を刻んで、やがてはっきりした波切山の丘陵を形づくるのである。日が丘の傾斜の木々の葉に弾《はじ》けていた。

――さて、何といったものか。

とりあえず相良彦兵衛の墓にお参りしようと思って、出かけてきたのである。だが墓に向かって言うべき言葉がない、と思ったのであった。依然として、相良は汚名を着たまま、土の下に眠っている。

――力およばず……。

源次郎は日に照らされながら、口の中で呟《つぶや》いた。

ふと左手の四、五間先にある灌木の陰のあたりで、物音がしたように思った。源次郎は立ち止った。そこは畑地がとぎれて、柔らかい草の上に、灌木の葉が茂っている。木には藤の蔓《つる》がからまり、小ぶりな藤の花が咲いているのが見えた。

――これは、どうも。

源次郎は赤い顔になった。藤の花の下あたりに、白い臀《しり》が見えたのである。村の女が小用を足しているところのようだった。立ち止った位置の加減で、木陰に隠れているつもりの臀が丸見えである。

源次郎が立ち竦《すく》んでいるのに、女は気づかないらしく、手早く身仕舞いをなおすと、鍬を肩にかけて、道に降りてきた。道に降りてもやはり源次郎には気づかないらしく、そのまま軽い足どりで清水村の方角に歩き出した。

だが源次郎は仰天していた。うつむいて道に降りてきた女は、相良の娘明乃である。

――臀からさきに見つかるとは思わなんだ。

源次郎は茫然《ぼうぜん》としたが、すぐに猛然と後を追った。

「明乃どの」

女は驚いたように振り向いて立ち止まった。その眼に、初め不審そうないろが浮かんだが、すぐに源次郎の顔を思い出したらしく、赤い顔になってうつむいた。

源次郎は胸を弾ませて、その前に立ったが動悸《どうき》が激し過ぎて声が出なかった。紺木綿の野良着に、真新しい手甲をつけて、百姓の娘のように見えるが、立っているのは、あれほど探した明乃に間違いなかった。手甲を結んである紐が赤いのが可憐だった。

「いい日和《ひより》でござるな」

漸く源次郎は言った。

「はい」

ちらりと明乃は源次郎の顔を見たが、またすぐに俯《うつむ》いた。澄んだ声が源次郎の胸に浸み込んだ。

何から話したらよいか、源次郎は迷っている。言いたいことは胸に溢れているが、この可憐でおびえやすい兎のような娘を驚かせてはならなかった。下手なことを口走ったら、明乃はたちまち源次郎に背を向けて走り去るだろうという気がした。

「事情はうかがっている。お父上がお気の毒でござった」

と源次郎は言った。明乃の表情が、少し固くなったように見えた。この娘に、父親の罪は冤罪《えんざい》だと言ってやれたらどんなにいいだろうと思い、源次郎は初めて兄夫婦を呪《のろ》った。兄たちに対する気遣いがなければ、黒瀬隼人を引きずってきて、この娘の前にひざまずかせることも出来る。

「心配していたのだ。そなたの行方を」

漸く源次郎は、少し本音を言った。しかし明乃はうつむいたままで、まだ固い表情をしている。きっと引きむすんだ口が、やはり少年のように見える。

「そなた、いそぐか」

明乃は眼を挙げると、黙って首を振った。

「少し訊《たず》ねたいことがあるのだ。その辺に腰をおろすところはないかな」

明乃が咎《とが》めるような眼をしたので、源次郎は慌てた。

「そうそ、申し遅れた。それがしは堀源次郎。お父上と同役の堀三郎右衛門の舎弟でござる」

明乃は警戒を解いたようだった。丘を僅かに下ったところにある小川の岸に、源次郎を導いた。

「ここらがよかろう」

源次郎は草の上に腰をおろした。明乃も少し離れて坐った。川水が澄んで音もなく流れている。そこは崖下で榛《はん》の木の樹陰になっている。川水に映る日の光が眼にまぶしいばかりで、静かだった。

「散歩の途中に、そなたに会うのが楽しみだった」

源次郎は卒直に言った。野はひろがり、日はうららかである。恋を語るにふさわしいではないか、と源次郎の心情は甚《はなは》だ詩的に傾いている。

「突然にああいう事情になり、そなたが姿を消したので、甚だ気落ちした」

「…………」

「禅念寺に墓地がござるな。和尚にそなたの消息を訊ねに参ったこともある」

突然明乃が顔を挙げた。そのままひたむきな眼で源次郎を見つめている。源次郎はその眼に重々しくうなずいてみせて続けた。

「さよう。出来得れば、そなたを宿の妻にと考えておった」

宿など、ありはしないのだ。源次郎はどこか入りこむに手頃な家はないかと、始終あたりに眼を配っている婿志望で、明乃も家を追われて、百姓娘のようなもんぺ姿である。だがここは修辞として、こう言わなければならないところだった。この修辞に、明乃は心を動かされたようである。

うつむくと、小さい声で言った。

「少しも存じませんでした」

「そなたを見つけて、天にも登る気持でござる」

「でも、私は科人《とがにん》の娘です」

「気にされるな、そのようなことは」

源次郎は手を振った。

「それがしには、そなたが無事だったことだけで十分だ」

「私のことを……」

明乃は源次郎をじっと見つめた。その眼にうっすらと涙が浮かんだ。

「そのようにお気にかけて下さる方がいるとは、夢にも思いませんでした」

「…………」

「でも、もう遅いのです」

「遅い？　なぜだ」

このときになって初めて、源次郎は明乃が何で百姓娘のような恰好《かっこう》をしているのか、まだ聞いていないことに気付いた。

「そなたはいま、一体どこにおられる？」

「この村におります」

「清水村に？」

「はい。禅念寺の方丈さまのお世話で、さる百姓家に厄介になっております」

あの和尚めが、と源次郎は心の中で舌打ちした。芳西にうまくだまされていたようである。

芳西の世話で、清水村の銀左衛門という、村で長人《おとな》役を勤める家に、厄介になった。銀左衛門は裕福な百姓で、好きなだけいていいと言った。そのうち町方に嫁に世話しようとも言った。

しかし明乃は少しずつ百姓仕事を手伝うことにした。だまって喰べているのは気の毒だったし、土をいじる仕事には少し自信もあったからである。明乃の働きぶりをみて、銀左衛門夫婦は驚嘆した。夫婦から、養子にならないかと言われたのが十日ほど前で、明乃は承知した。

銀左衛門夫婦は、一人息子が病死したあと、雇人と手伝いの人間だけで、田畑を始末してきたが、いずれ他家から養子を貰うつもりでいたのである。明乃の人柄と働きぶりをみて、まず養子にし、婿を迎える腹を決めたのであった。

「そういうわけで、私は婿をもらう身です」

「婿！」

まさしく棚からぼた餅が落ちてきたのを、源次郎は感じた。次兄の作之助の百五十石とは大層な違いだが、武家暮らしがどのようなものであるかは、今度の明乃の父親の事件でつぶさに見てきている。田畑を相手に、明乃と二人で鍬をふるうのは悪くないと思った。それに長人《おとな》の家の婿となれば、肥《こえ》たごをかつぐこともあるまい。

源次郎は身を乗り出した。

「その婿、それがしがなろう。どんなものだろうか、明乃どの」

「まあ」

明乃はたしなめるような眼で源次郎をみた。

「百姓仕事はきつうございますよ」

「なに、それがしも家で嫂を手伝ってな。日頃畑仕事などをやっておる。鍬の使いようぐらいは心得ている。嫂などそれがしが手伝うと大層喜んでな。今日もそのあたりで茄子の苗を分けてもらって来いと言いつけられた」

「…………」

「それに、そなたと一緒なら、少々の苦労は厭《いと》わん」

「そう言って下さると、私は嬉しゅうございますが……」

明乃は頬をそめて小声で言ったが、源次郎からふと眼をそらすと澄ました顔になって言った。

「でも養い親がどういうか、聞いてみないことには解《わか》りません」

その澄ました横顔をみていると、不意にさっき崖の上で見た、明乃の丸く白い臀が思い出されて、源次郎はおかしくなった。

源次郎の笑い声が高くなるのを、明乃は怪訝《けげん》そうに見つめたが、やがて自分も、意味もわからないままに口に掌をあててつつましく笑い出した。

暁のひかり

一

その娘を見かけたのは、七月の初めだった。

江戸の町の屋根や壁が、夜の暗さから解き放されて、それぞれが自分の形と色を取り戻すころ、市蔵は多田薬師裏にある窖《あなぐら》のような賭場《とば》を出て、ゆっくり路を歩き出す。

町はまだ眠っていて、何の物音も聞こえず、人影も見えなかった。市蔵は多田薬師の長い塀脇を、川端の方に歩いて行く。路はまだ地表に白い靄《もや》のようなあいまいな光を残しているが、夕方と違って、歩いて行く間に足もとのあいまいなものが次第に姿を消し、かわりに鋭い光が町を満たして行く。

大川の河岸に出ると、その感じは一層はっきりする。川向うの諏訪町、駒形町、材木町あたりの家々の壁は、日がのぼりかけている空の色を映して、うっすらと朱に染まっている。川の水は、こちら岸に近いところは、まだ夜の気配を残してか、黒くうねっているが、向う岸に近いあたりは青く澄んでみえる。そして日の光が、背後から市蔵を刺し貫くのは、大川橋を渡り切る頃である。

河岸にある竹町の自身番は、まだ表に懸《か》け行燈《あんどん》をともしたままだった。市蔵がその前を通る頃、腰が曲がりかけた町雇いの老人が、行燈の火を消したり、番所の前を掃いたりしていることもあるが、その日は、中で話し声がするだけだった。

空気は澄んで、冷たかった。市蔵はゆっくり河岸を歩いて行く。澄んだ空気を深ぶかと肺の奥まで吸いこむと、泥が詰まったように重い頭や、鋭くささくれ立った気分が少しずつ薄められて行く気がする。

市蔵が、いまのようなやくざな商売でなく、もっとまともな仕事をして暮らすことだって、やろうと思えば出来るのだ、とふっと思うのはこういう朝だった。むろんその考えは、市蔵の胸をほんのしばらくの間、清《すが》すがしい気分にするだけのことに過ぎない。じっさいには、市蔵は賭場の壺振りで飯を喰っている男であり、賭場の匂いが身体にしみついてしまった人間だった。そして市蔵は、ふだん壺振りが性に合っていると思い、その仕事に格別の不満も持っていなかった。いまごろ堅気の暮らしに戻れる筈がないことも、承知している。

だが僅かな間にしろ、市蔵が、賭場の壺振りらしくないことを考えるのも事実だった。毎朝そうだというわけではなかった。雨が降っている朝などは、疲労と睡気《ねむけ》のために、ただ布団に潜りこんで眠ることだけを考えて、わずかな小石に躓《つまず》いたりして帰るのである。

だが、その朝はすばらしい朝だった。暁の光の中から、町が眼ざめて活きいきと立ち上がろうとしているのを感じた。

――気分のいい朝だ。

これから眠りに帰るのを、気持の隅でうしろめたく思いながら、市蔵はそう思った。

その時娘を見つけたのである。初め市蔵は、その娘が落とし物でも探しているのかと思った。娘は竹の棒を持っていた。その竹を探るように前に突き出し、ひと呼吸置いてから、ゆっくり右脚を踏み出し、左脚を踏み出した。そしてまた地面を探るように、竹を前に突き出す。

「あ、危ねえ」

市蔵は叫んで走り寄った。娘の姿勢が不意に崩れて、腰がくだけたように転んだのをみたのである。その時には、娘の足が悪いのがわかっていた。

「怪我しねえかい？」

市蔵はかがんで手を伸ばした。だがその手はすげなく払われた。

「だめ。あたしに構わないで」

と娘は言った。

「いま、ひとりで歩く稽古をしてるんだから」

だが、その拒絶は、市蔵の胸に快くひびいた。明かるく澄んだ声音だった。

市蔵がうなずいて手を引っこめると、娘は、投げ出された足をそろそろと引き、一たび横坐りのような形になってから、竹の棒に縋《すが》って少しずつ腰を上げた。片膝を突き、片方の足を立てたとき、裾が割れて、青白い内股がのぞいた。だがそれを気にするゆとりは、娘にはないようだった。細面の顔が真赤に力み、竹を握っている拳《こぶし》が血の色を失って白くなるほど力を出し、身体も竹もぶるぶる顫《ふる》えた。

「ほら、もうちょっとだ」

市蔵は思わず言った。倒れそうになったら、いつでも抱きとめられるように、両手をさし伸べている。

ついに娘は、一人で立ち上がった。竹に縋って立つと、娘は額の汗を拭《ふ》いて、市蔵をみて笑った。

「よかったな」

市蔵も笑った。娘は十三、四に見えた。子供ではなかった。だが大人でもなかった。これから大人になろうとする皮膚のいろをしている。青白い頬をしていたが、黒《くろ》眸《め》が活きいきと光っている。さっき転んだときみえた脚の細さに市蔵は驚いたが、娘はいったいに痩《や》せていて、肩のあたりも尖ってみえた。それでいて、病人らしい感じは少しもなく、清すがしい感じだけが寄せてくる。

「足が悪いのか」

と市蔵は言った。市蔵は遠慮したように小声できいたのだが、娘は朗らかな口調で答えた。

「あたい歩けなくてずーっと寝ていたのよ。歩けるようになったのは今年になってから」

「それで歩く稽古をしていたのか」

「そうよ」

「すると家は近くなんだな」

「その角を曲って……」

娘は竹町の角を指さした。

「その先の左側にある蕎麦《そば》屋よ。飛騨《ひだ》屋っていう店。知ってる？」

「知らなかったな」

「おじさんは夜なべしたの？」

「うむ。まあ、そんなものだ」

市蔵は何となくうろたえたように言った。不意打ちを喰ったような気分だった。おじさんと呼ばれたせいもある。市蔵はまだ二十四だった。

「くたびれた顔してる。職人さんなの？」

「そうだ。鏡師さ」

市蔵は六年前までやっていた仕事を口にした。だが娘の澄んだ眼に見つめられると、その嘘が見抜かれそうな不安を感じた。

「歩くところを、みてもいいかい」

市蔵は言った。

「いいわ」

娘は言って、今度は竹町の角の方にむかって歩き出した。その横顔に漲《みなぎ》るように真剣な表情が現われた。

危なっかしく、と惑《まど》うような足どりで、娘は少しずつ遠ざかって行った。市蔵は手に汗を握るような感じで見守った。だが娘は今度は転びもしないで町角までたどりついた。そして竹を使ってゆっくり市蔵の方に身体を向けると、片手を挙げて振った。

不意に娘の身体がぐらりと傾いて、市蔵ははっとしたが、倒れはしなかった。陰翳のない笑顔が市蔵に向けられている。

「またな」

市蔵も手を振って笑った。

背を向けて大川橋を渡り、浅草側の橋袂まで来たとき、硬い日の光が背後からさしかけてきて、市蔵の長い影が地面に伸びた。

もう一度青物河岸を振り向いたが、娘の姿はもう見えなかった。そのかわりに、空の色を映した川波が、まぶしいほど青く眼に沁《し》みてきた。

燈明寺の黒板塀が鼻先につかえているような、山伏町の裏店《うらだな》に戻ると、市蔵は台所に上がって水を飲み、それから茶の間に入って、障子窓を開けた。部屋の中に籠《こも》っていた熱気が、すばやく外に逃げて行く。

市蔵は襖を開けて、隣の寝間に入った。そこにも夏の夜の熱気が籠っていて、その中に鼻をつく女の体臭が混っている。暗い中で着物を脱ぐと、市蔵は手探りで女のそばに横になった。

「あんたア?」

「うむ」

向き直って、どたりと投げかけてきた女の腕を、うるさそうに首からはずして、市蔵は眼をつむった。すぐに欠伸《あくび》がこみあげてきて、市蔵は眠気が一気に身体を包むのを感じた。女が、今度は足をからめてきたが、市蔵はそのままにした。

眠りに落ちる一瞬前に、ふっとさっき会った娘の笑顔を思い出したようだった。

二

おことという名のその娘に、市蔵はそれから時どき出会うようになった。

もちろん天気のいい朝だけで、雨の日や風の日は、おことは河岸には出て来ない。また天気がよくとも、その朝必ずおことがいるとは限らない。今日はいるかな、と思って多田薬師の角を河岸に曲って、遠くにおことの姿が見えないと、市蔵はいくらか気落ちを感じた。

そういう時は、次の日に会ったときに、

「昨日は来ていなかったじゃないか」

と市蔵は言ったりした。するとおことは、「ごめんね」と言ったり、「来たんだけどな。いつもより遅かったから」と言い訳したりした。

会うたびに、二人は短い話を交わすようになっていた。話は、おことの家族のことだったり、市蔵の仕事のことだったりする。市蔵は、おことのために小さい手鏡を作ってやる約束をさせられた。そうした話のあとで、市蔵はおことがゆっくりゆっくり帰るのを見送りながら、「ほら、しっかり」とか、「危いぞ」とか声をかけ、おことは「ほら、みて。昨日よりうまく歩けたでしょ」などと叫ぶ。

市蔵は笑いながら手を挙げ、背を向けて橋の方に歩く。

「ばかだねえ。あんたも」

そういう話を市蔵が聞かせると、一緒に暮らしているおつなは言う。

「二十《はたち》前の若い者じゃあるまいし、そんな小娘に調子のいいこと言ってさ。そのうち拐《かどわか》しに間違えられて、ひどいめにあっても知らないよ」

「気持のいい子だ」

市蔵はおつなの言葉には構わずに言った。

「さっぱりした気性でな。長いこと歩けなくて寝ていたというのに、ちっともいじけちゃいない。ちっとでも昨日よりうまく歩こうと思って一所懸命やっている。誰の手も借りずに、自分でだ。転んでもひとりで起き上がる。偉いもんだ」

「よっぽど可愛いい顔をしてんだね。その子」

「おめえの言うことは、いちいち癇《かん》にさわるな」

市蔵は胸に置かれているおつなの腕を、じゃけんに摑《つか》んで振りはらった。

「いたーい」

おつなは甘えた声で言い、市蔵に摑まれた二の腕を口に引き寄せて舌で嘗《な》めた。

「みて。こんなに赤くなっちゃった」

二人は布団の上に素裸に近い恰好《かっこう》で横たわっている。一度眼覚めて、昼飯とも朝飯ともつかない食事をし、そのあとすることもなくまた横になってひと眠りしたのである。時刻は七ツ半（午後五時）近くなっている筈だった。茶の間の襖を開けひろげ、寝間の窓障子も細めに開けてあるが、風はどこからも入って来なかった。

暑い空気が淀《よど》んだままで、仰向けに寝ている市蔵は、身体の下に人形《ひとがた》なりにじっとりと汗がにじみ出ているのを感じる。だが動いたらよけいに汗が出そうで、市蔵はじっとしている。

「顔のことなんか言ってねえや」

市蔵は障子を通す赤い光に、天井の蜘蛛《くも》の糸がぼんやり浮き上がっているのを眺めながら言った。

「あの子が一所懸命なのが気持いいっていったんだ。俺にもあんな気持の頃があったからな。親方に叱られながら、鏡を磨いていた頃だ。腕のいい職人になることだけを考えていた」

「でも、もう駄目ね。あんたは博奕打《ばくち》ちだもの。それとも、もっと腕のいい博奕打ちになるようにがんばる？」

「うるせえ」

市蔵は腕を横に振った。鈍い音がして、市蔵の手の甲は柔いものを搏《う》った。

「いたーい」

おつなはまた甘えた悲鳴を挙げた。

「痛いなあ、お乳は女の急所なんだから」

「くだらねえことを言うからだ」

「だって嫉《や》けるもの」

「嫉けるだと？　くだらねえ。あの子は、まだ子供だ」

「でも、あんたがその子の話をするとき、とっても真面目な顔する。それがいやなの」

「……………」

「その子と一緒に、どっか遠いところに行っちゃうつもりじゃないかと思ったりしてさ」

どっか遠くか。それも悪くないな、と市蔵は思った。いまなら、やろうと思えばまだそれが出来る。そうでなければ、このままずーっと行って野垂れ死にだ。壺振りは面白いが、いずれは野垂れ死にの道だ。

「ねえ、何考えているの?」

おつなが、肩に頬を寄せ、脚をからめてきた。

「暑い」

「いや」

おつなは市蔵の上にかぶさってきた。おつなの肌も汗ばんでいたが、そのためにかえって冷たかった。習慣的に市蔵はおつなの背に手を廻した。背も冷たかった。おつなは腰をくねらせた。

「しないの?」

「…………」

「して」

知りつくして、少し飽きた身体だった。手順も決まっている。だが市蔵の若さが、初めの怠惰な動きを、獣の荒々しい身ぶりに変え、その動きの下でおつなが呻《うめ》いた。おつなが出かける身支度をしているのを、市蔵は寝ころんだまま見ていた。おつなは器用に髷《まげ》の崩れを直し、薄く化粧して、口紅だけ少し濃い目に塗った。藍染めの浴《ゆ》衣《た》を着て、帯を締めると、茶屋勤めの女の姿になった。胸は嵩《かさ》があるのに、腰がくびれ、臀もそんなに大きくはない。

おつなは浅草寺《せんそうじ》雷門前の茶屋町で働いていた。三年前にそこで市蔵と知り合い、一緒に暮らすようになって、いま二十一である。滝本というその料理茶屋には、十四の時から勤めていて、市蔵と知り合ったときには古株だった。

市蔵と暮らすようになってからも、おつなが女中勤めをやめなかったのは、滝本が長年働いてきて気心が知れた場所であり、店にも大事にされているということがあったが、それだけでもなかった。

「男ってものは、いつ気が変るかわからないからね」

時どきおつなはそう言った。つまり市蔵を信用してはいないのだった。そう言いながらおつなは家の中ひと通りのことはやった。飯を上手に炊き、洗い物も繕《つくろ》いものも小まめにして、市蔵を薄汚いなりにして置くということはなかった。

たまにおつなは浮気をして来るようだった。家を明けたことはない。市蔵が家に帰ったとき、おつなは眠っている。だが市蔵にはそれが何となく解った。おつなの眠りの深さや、眼ざめてからの物言いなどから、不思議に解る。証拠といったようなものはない。強《し》いて言えば、おつなの好色さが、唯一の証拠のようだった。おつなは好色な女だった。

だが市蔵はそのことを、一度もおつなに言ったことはない。男と女のことを、どこかで投げているような気持が、市蔵の中にはある。賽《さい》の目と同じで、ひとつ転がればどう目が変るかわからないという気がする。いうまでもなく、そういう考え方は、堅気の暮らしから踏みはずして賭場の人間になり、沢山の女を知ってから棲みついたものだった。

おつなのことも、そばにいるから一緒に暮らしているだけの人間のように思うことがある。惚れているとは思わなかった。おつなは水商売の女にしては、素直なところがあり、身体つきも男心をそそる魅力をそなえている。だが身体を重ねると、一ぺんに本性をさらけ出すような乱れ方をする。それだけの生き物のように振舞うことがある。市蔵がおつなをふとうとましく思うのはそんなときだった。

あるいはおつなは、そういう市蔵の気持を見抜いているのかも知れなかった。そのために浮気をしてくるのかも知れなかった。ただこれと決まった男がいるようではなかった。

「どう？　帯大丈夫かしら」

おつなは市蔵にくるりと背を向けて言った。形のいい臀だった。その膨《ふく》らみの中には、ついさっき男の眼に露《あら》わにさらしたものと違う、はにかみに満ちた肉が包みこまれているように見えた。

「ちゃんとなっているよ」

「じゃ、行ってきますからね」

「しかし、あれはしくじったな」

「えっ！　なに？」

「あの娘に、鏡を作ってやると約束したことさ」

「あら、まだ言ってるの？　いやな人」

と言ったが、おつなは機嫌が悪い顔ではなかった。市蔵と身体を重ねたほてりが、まだ残っている表情で、少し浮き浮きした口調で言った。

「そんなこと、わけないわよ、どっかで買ってきて上げればいいじゃない？」

だが、おつなが出て行ってからも、市蔵は横になったまま、しばらくそのことを考え続けた。おつなが言うような方法しかないことは解っていた。解っていながら、それでは済まされないような気がした。

部屋の中が薄暗くなっていた。そろそろ賭場に出かける時刻だった。

三

その日は、いつもと違っていた。賭場になっている庭隅の土蔵に行くと、入口で番をしていた長次という男が、

「市さんが来たら用があるからって言ってましたぜ」

と顎《あご》をしゃくった。長次が顎でしゃくった方向に、荒れた庭をへだててしもた屋風の家がある。以前はその同じ場所に伽羅《きやら》屋が店を開いていた。その店が潰れたあとを、親分の富三郎が買い取って、しもた屋風に作り変え、外からは庭がのぞけないように高い塀を建て回した。富三郎はその家に妾を置いて寝起きしている。本当の家は柳島にあって、そこには年上の本妻がいた。賭場にはめったに顔を出さず、中盆の栄太にまかせていた。

「俺だけかい」

「そう。来たらすぐにって言ってたから、行ったほうがいいですぜ」

「しかし、中はいいのかい」

土蔵の入口には、長次がしまい込むので、一足の履物もなかったが、奥からは微か

なざわめきが聞こえてくる。かなり客が来ている様子だった。土蔵の中は広く、片側十五人、両方で三十人くらいの客は遊べる。ふだんは十五人から二十人ぐらいの人数だが、時には三十人以上も集まることがある。集まってくる顔ぶれはあらかた決まっていた。本所界隈の小金を持っている商人といった素人が多かったが、商売人も遊びにきた。向嶋に賭場を持っている花庄とか、深川木場の福安とかいう親分が、子分を四、五人連れてくる。そういうときは親分の富三郎が挨拶《あいさつ》に出た。彼らは大概どこかに遊びに行った帰りに寄るのであるが、賭け金も大きく、賭け方も手練手管を使って、座を面白くするので、賭場では悪い扱いはしない。

「あ、壺は半ちゃんが代りに振るっていってたから」

と長次は言った。半太は、まだ壺を振りはじめて三年目で、一人前とは言えないが、つなぎには間にあう。

商家の若旦那ふうの客が来たのをしおに市蔵は入口を離れた。

家に行くと、出てきた顔見知りの女中に、すぐに奥の座敷に導かれた。奥の方から、富三郎の太い笑い声が聞こえてくる。

「客かい」

「ええ、柳島の政吉さん。それともう一人、知らない人が来てるの。少し気味が悪いような人」

女中はそう言った。

座敷には女中が言った三人のほかに、富三郎の妾のお秀がいた。

「おめえが遅いから、一杯始めていたところだ。どうだ、一杯やるか」

「いえ、酒は頂きませんので」

と市蔵は言った。

「おう、そうだったな。おめえも博奕打ちのくせして酒が飲めねえってのは奇態な男だ。もっとも壺振りがへべれけになっちゃ、盆がもたねえわな」

富三郎は胸を反りかえらせて、太い笑い声をひびかせた。富三郎は赤ら顔で、息苦しいほど肥っている。

「市、久しぶりだな」

と政吉が言った。市蔵は眼で挨拶した。

政吉は柳島の百姓地に置いてある小さな賭場をまかされている代貸しである。中背で、黒い顔をし、引きしまった身体つきの男だった。眼つきが少し鋭いだけで、平凡な顔だが、めったに笑うことのない男だった。

「市を呼んだのは、ちょっと引き合わせたい人があってな」

と富三郎が言って、そばの男を振りむいた。

「この人が誰か、あててみねえか。うまくあてたらお秀を一晩貸してやってもいいぜ」

いやだよ、なに言うんだね、とお秀に腕をこづかれながら、富三郎は自分の冗談が気に入ったらしく、またのけぞって笑った。

市蔵はその男をじっと見た。男はにこにこ笑っている。細面で、どこか白い狐を連想させる顔だった。眼が吊り上がり、口も尖り気味で小さい。膝の上に置いた男の右手が、小指を一本欠いている。

にこにこ笑いながら、その細い眼の瞳孔が、瞬《まばた》きもしないで自分に据《す》えられているのを市蔵は感じた。女中が言ったように、薄気味の悪い男だった。

「失礼さんですが、存じあげません」

と市蔵は言った。

「そうか、知らねえか。そいつは残念だったな。せっかくお秀が……」

富三郎は盃を左手に持ちかえて、大きな右手で自分の前を押さえた。

「このへんをわくわくさせてたというのによ」

「わくわくなんかしてませんよ。ばからしい」

お秀はまた富三郎をこづき、ちらと市蔵に流し目をくれた。

「顔は知らなくとも、名前を言えば知ってるだろう。小梅《こんめ》の伊八という男だ」

お、と市蔵は息を呑んだ。

伊八という男をみるのは初めてだったが、その名は何度も聞いている。伊八は凄腕の壺振りだったというが、市蔵にその名前を聞かせた男たちは、伊八がいかさま賽を使って絶妙な手さばきをみせた男だということを、なぜか誇らしげな表情で語ったのである。市蔵に壺の振り方を仕込んだのは、弥平という年寄だったが、やはり伊八のことを話した。

「伊八という男がいてな。一分の隙もない壺を振ったな。そいつが盆につくと聞いただけで人が集まったもんだ。壺と賽子が指に吸いついたような見事な指さばきでな。だがそのうち、奴はいかさまを使っているという噂が立った。だが、それが噂か本当か、誰にも解らなかった。誰にも伊八の指は見えなかったからな」

だがあるとき、伊八は七分賽を使っていて見破られた。その賭場の親分は、伊八をかばわなかっただけでなく、罪を伊八一人にかぶせて指を落とすのを手伝った。以来伊八を雇う賭場はなくなった。いかさま師として忌《い》み嫌われているうちに、伊八の姿は江戸から消えた。

弥平は、市蔵に七分賽、毛返しなどといういかさまも、ひと通り手ほどきしてから、こう言った。

「こいつは壺を振るからには知っていなくちゃならねえだろうが、使うもんじゃねえぜ。それに使うからには伊八のような腕っこきでねえとな」

眼の前にいる、生白い狐のような顔をした中年男が伊八だった。伊八は市蔵の顔に浮かんだ驚きのいろを、にこにこ笑いながらみている。

「それじゃ、あっしはこれで」

不意に政吉が盃を伏せて言った。

「ごくろうだったな、政」

と富三郎は太い声で言った。やりとりの調子から、政吉が伊八を連れてきて、富三郎に引き合わせたという感じだった。

立ち上がった政吉に、富三郎はちょいと待ちな、と言った。

「多賀屋の旦那は、まだ来てるかい」

「へい」

政吉は、一度立ち上がった膝を、また畳について、何か、という眼をした。

「貸しはどのぐらいになってるね」

「百両とちょっとですが」

「ちょっとてえと、幾らだ」

「七、八両」

「多賀屋に貸すのは、もうよしな。見切りどきだ」

冷酷な口調だった。

「へ。承知しました」

政吉が部屋を出て行くと、富三郎はまた表情を崩して市蔵をみた。

「そうかしこまっていねえで、もっとこっちへ来な」

「へ」

「おめえの嬶《かか》は、まだ茶屋に出ているのか」

「へい」

「金を溜めるつもりか知らねえが、それじゃいまに尻に敷かれるぜ。それとも、もう敷かれてるかい」

富三郎は、ぱんと自分の膝頭を叩いて、くつ、くつと笑った。

「いえ、そんなこともありませんが」

「なあに、いまにそうなる。嬶《かか》なんぞ稼がせておくとろくなことにならねえ。喰うもの、着るものにぜいたくを言う。家の中のことはやらねえし、間男をする」

「…………」

「弥平のおっさんの嬶を知ってるか」

「へい。知ってます」

「およねと言ってな。弥平と一緒になってからも、長えこと三ツ目橋の近くの小料理屋で働いた女だ。子供をたて続けに六人もこしらえたが、ありゃ半分はよその男の種だ」

富三郎は、後手に畳に手を突いて、そっくり返るようにして笑った。

「おっさんは気がつかねえ。もっともその子供が、いまじゃみんな一人前でな。おっさんを喰わしているから、不足は言えねえや」

富三郎はくつくつ笑ったが、不意に笑いやんで市蔵を覗きこむように上体を曲げた。

「どうだい、市。伊八にいかさまの使い方を仕込んでもらう気はねえか。そいつを使えるようになったら、おめえの手当ては倍にしてやるぜ。そうなりゃ、嬶なんざ働かせることはねえ」

四

市蔵は窖《あなぐら》のような賭場を出た。

空気は冷えて、町にはまだ暗さが残っている。白い霧が、多田薬師の塀脇の溝から、路に流れている。市蔵は身顫《みぶる》いした。

――今朝は、おことは出ていねえだろう。

そう思った。空を見上げると、そこにも雲のような霧が流れている。よくみると、その奥に薄い色の青空がちらついてみえたが、日が昇る気配はなかった。ぶ厚い雲か霧のようなものが、日が昇るあたりの空を包んでいる気配があって、肌寒かった。その寒さのなかに、秋の貌《かお》がのぞいている。

――風邪をひいたと言ったな。

市蔵は、五日前に会ったとき、おことがそう言っていたのを思い出した。そのせいか、おことは一層肩が尖り、眼が大きくなっていた。そんなおことから、市蔵は初めて会った頃にくらべて、どこか大人びた感じをうけていた。そして驚くことに、おことは大人びたことで、かえって清らかな感じを与えるようにみえたのである。

そのとき話したことを、市蔵は思い出している。

——そいつはいけねえや。寝たのかい。

——三日ほど。

——道理で姿が見えねえと思ったよ。それで、もう起き上がってもいいのかい？

——大丈夫よ。ほら、このとおり。

——もう一日ぐらい、辛抱して寝てりゃよかったのに。

——あたい、寝るのは飽きあきしてるの。

——そうだったな。あんたは何年も寝てたんだっけな。そうはみえねえが。

——ほんと？

——ほんとだとも。

——鏡、いつくれる？

——もうすぐだ。やっといい材料が手に入ってな。これから磨きにかかるところだ。

市蔵は大川の河岸に出た。川の上にも厚い霧が動いていて、向う岸が見えないほどだった。波もよく見えなかった。さっき賭場を出たとき考えたよりも、ひどい霧だった。河岸にある竹町の自身番は、表にまだ行燈をともしている。黄色い光と、竹町と書いた墨文字が霧に滲み、建物は青黒く見えた。

自身番の前を、市蔵はゆっくり通り過ぎた。建物の中からは何の物音も聞こえて来なかった。秋めいて来たなと思うと、すぐに夜が長くなる。長い夜の勤めに飽きて、詰め番の家主も、年とった町雇いの番人も、あるいは明け方のひとときをまどろんでいるのかも知れなかった。

ふと市蔵は立ち止まった。霧の中に人声を聞いたように思ったのである。耳を澄ます姿勢になったとき、今度ははっきり女の悲鳴が聞こえた。悲鳴は続けざまに聞こえて、ただごとでない空気を伝えてくる。

——おことだ。

市蔵は走り出していた。霧の中に、立っているおことの姿が見えてきた。そのそばに、男がいる。初めは男の黒っぽい姿が踊っているようにみえた。

だがそばまで来ると、男がおことをからかっているのだとわかった。男は下卑た笑い声を立てながら、跳ねまわるようにおことの回りを廻り、その合間にちょっ、ちょっと手を伸ばして、おことの胸や腰に触っている。男の手が触れると、おことは悲鳴をあげ、身体をよじった。竹の杖に縋《すが》った身体がそのたびに不安定によろめいた。

「おい」

市蔵は男に声をかけた。

「あ、おじさん」

おことが泣き出しそうな顔を向けて、市蔵を呼んだ。

「この人、こわいの」

「おい、やめろ」

声をかけられても、まだおことの回りを跳ね回っている男の腕を、市蔵は荒っぽく摑《つか》んで引いた。

男が振り向いて、じろりと市蔵をみた。瞬間市蔵は、蜥蜴《とかげ》か蛇の胴を踏んでしまったような、いやな気分に襲われた。四十恰好の痩《や》せた男である。凹《へこ》んだ頰から顎《あご》にかけて、疎《まば》らな無精髭がはえ、日焦《ひや》けした黒い顔をしているが、市蔵をいやな気分に誘ったのは、男の眼だった。両眼とも、白眼が血走っている。眼の下の深いたるみも、男のまともではない人体を示しているようだった。

「何だよ、おまえは」

男はふらりと市蔵に寄ってきた。男の身体から、甘酸っぱい酒の香が寄せてくる。この男も、市蔵と同様に、夜の闇からこの白い霧の中にこぼれ落ちてきた人間のようだった。

「この子は俺の知り合いだ。手を出すな」

と市蔵は言った。

男は確かめるように、市蔵をじっと見つめたが、不意に乱暴な口調で言った。

「ごたくを言うな」

そう言ったとき、男は懐から匕首《あいくち》を出して引き抜いていた。狂暴な男だった。市蔵はその手に飛びついた。二人の男は霧を蹴ちらして揉《も》み合った。痩《や》せているくせに、力の強い男だった。男が握っている匕首の先が、ときどき市蔵の顔をかすめ、そのたびに市蔵は後にのけぞって押された。

やっと匕首を捥《も》ぎ取ったときには、市蔵は川の縁まで押されていた。匕首を川に投げこんで、男と身体を入れかえると、不意に市蔵は狂暴な怒りが衝《つ》きあげてくるのを感じた。

「やろう！」

と市蔵は言った。

組み合って、身体を密着させてから、市蔵は体を開いて投げを打った。それが見事に決まって、男は肩口から地面に落ちた。這って起き上がろうとする男の脇腹に、市蔵は鋭い足蹴りを入れた。わツと喚いて、男の身体が一回転して転がった。

「やめて！」

おことが叫ぶ声を聞いたように思ったが、市蔵は逆上していた。男が立ち上がるのを待って襲いかかると、顔を張った。

「なにが、なにが」

男は怒号して、市蔵の手を払いのけながら突き進んできたが、夥《おびただ》しい鼻血を出して、顎《あご》から頸《くび》にかけて血にまみれ、凄惨な表情になった。男は市蔵に組みついてきたが、明らかにさっきの力を失なっていた。荒い息を弾ませて、二人の男は互いに相手を捩《ねじ》り倒そうと力を出したが、またすばやく腰を入れた市蔵の投げが決まった。

ぐっという声を出して、男は俯《うつぶ》せに地面にのめった。容赦なく市蔵は男の身体を蹴り続けた。残酷な気持になっていた。蹴られながら、男はのろのろと地面を這って遁《のが》れようとしていた。

背後に啜《すす》り泣く声を聞いて、市蔵はわれに返った。霧が少し薄れ、おことがこちらを見ながら泣いているのが見えた。おことは、顔も隠さず、眼を見ひらいたまま泣いている。

「泣かなくともいい。もう済んだ」

市蔵が寄って行くと、おことが後じさりした。不自由な足で後じさりしたので、おことの身体はよろけた。

市蔵が駈け寄って手をさし伸べたのを、おことはふり払った。

「どうしたんだ？」

「いや」

おことはもう泣きやんで、青白い顔をしていた。

「こっちに来ないで」

おことは市蔵を見ながら、少しずつ後じさりした。

「おことちゃん」

「おじさんが、こわいの」

とおことは言った。

「冗談じゃないぜ。俺はあいつが……」

市蔵は後を振り返った。さっきの男が、背を折るようにして、のろのろと路を曲るところだった。そこは竹町の北端れと細川家下屋敷にはさまれた道である。

「おめえに悪さをしかけていたから、追っぱらっただけじゃないか」

おことは静かに首を振った。

離れて行くおことを、市蔵は茫然と見送った。おことの眼に、はっきりと恐怖の色が浮かんでいるのが見える。

——この子は、俺の正体をみたのだ。

それならこわがるのは当然だと思った。おことが首を振ったように、男を追っぱらっただけではなかった。狂暴な悪い血に促《うなが》されて、男の腕を撓《たわ》め、脇腹を蹴り続けた。その血が、市蔵を堅気の職人から賭場の壺振りに引きずり落としたのである。おことが優しいおじさんを見失ない、一人のやくざ者を見たのは当然だった。この子の澄んだ眼から、何ひとつとしてごまかせるものがある筈はないのだ。

おことは角まで後じさり、そこで向きを変えると、もう一度ちらと市蔵をみてから姿を消した。いつの間にか霧はほとんど消えて、河岸に日が射していた。

まぶしいほどの光の中に、市蔵は一人取り残されている。日の光は冷たかった。市蔵は不意に寂寥《せきりょう》が身体を包むのを感じた。市蔵は角まで走って行くと、おことの後姿に向かって叫んだ。

「おい。鏡を作ってきてやるからな」

長い影を地上に曳《ひ》いて、おことがゆっくり遠ざかるところだった。市蔵を振り向かなかった。

五

額に深い横皺が刻まれているのは、昔からのもので、髪に白いものが目立つようになっただけのようにみえる。親方の源吉は、艶のいい顔色をして、六年前市蔵がこの店を飛び出したときと、あまり変っていなかった。慎重な手つきで鏡面に水銀をかぶせている源吉のそばに、膝を揃えて坐りながら、市蔵は懐しそうにあたりを見回した。

仕事場の中も、そんなに変ったようには見えなかった。高い所にある明かり取りの窓が煤《すす》けているのも、男たちが肌脱ぎになって背を曲げ、せっせと鏡面を磨いている風景も、六年前と似ている。その変らなさに、市蔵はかえって驚いていた。部屋の隅ににびいどろの板が置いてあるのだけが、僅かに目立つ変化である。

「八助はどうしました?」

市蔵は昔の仕事仲間の名前を持ち出した。仕事場にいるのは、顔の知らない、若い男ばかりである。

「八は使いに行ってもらっている」

「庄太は？」

「庄太は去年自分の店を持った」

万次郎は？　と聞こうとして、市蔵は口を噤《つぐ》んだ。ここが、自分から捨てた仕事場であることを思い出したのである。懐しがるのは一人よがりというものだった。

源吉が、膝脇に置いた雑巾で、丹念に指を拭《ぬぐ》ってから向き直った。

「さっきの話だがな、市。いま仕事をしながら考えた」

市蔵をみた源吉の顔には、当惑した表情が浮かんでいる。

「おめえ、本気でそう言っているのかね」

「親方が承知してくれればの話ですよ」

今日、市蔵は六年ぶりで源吉を訪ねた。源吉に会って、優しい言葉をかけられているうちに、市蔵はここに来るまで言うつもりもなかったことを口にしていた。遠回しな、遠慮した言い方でだが、出来たらここに戻りたいと言ったのである。

源吉に会う気になったのは、おこととああいう別れ方をしたためである。あの日から半月経ったが、おこととは一度も会っていなかった。おことは河岸に出るのをやめたようだった。あるいは河岸に出ても、市蔵と顔が合わない時刻を選んでいるのかも知れなかった。あのときのおことの怯《おび》えた顔を思い出すと、それは当然のことだという気がした。おことはいま、何も気づかずに、こわい人間とじゃれ合っていた、と身《み》顫《ぶる》いしているかも知れなかった。鏡のことも、やくざ者が、いい加減な嘘をついたと思っているに違いなかった。

だが不思議なことに、市蔵にはおことをだましたという気持は少なかった。おことと会っているとき、市蔵は自分が、窖《あなぐら》のような賭場から出てくるやくざ者ではなく、一人の鏡師であるような気がしていたのである。仕事場の話をするのは楽しかったし、鏡を作ってやると言ったのも、本気でそうしてやりたいと思ったのだった。少くとも、暁の光が微かに漂う河岸でおことと話しているとき、市蔵は、自分を堅気の人間のように思い続けていたのであった。

市蔵は、そのことをおことにわかってもらいたかった。ただのやくざ者とみられておしまいになるのは辛い気持がした。だがおことにわかってもらうためには、自分で作った鏡を持って行くしかないようだった。そうすれば、あの賢いおことが、自分が会っていたのは鏡師だったと信じてくれないはずはない。そしておことが信じてくれたら、あるいはそのまま堅気の暮らしに戻ることが出来るかも知れないという、夢のようなことも考えるのである。

そうした気持の底には、親分の富三郎に言われたいかさまに対するこだわりがある。市蔵はいま、小梅の伊八にいかさま賽《ざい》の手ほどきを受けていた。伊八の指さばきは手妻師のようで、むかし弥平に習ったことは、いかさまの真似ごとですらなかったと思われるほどのものだった。

だが市蔵にはためらいがあった。伊八のようになったらおしまいだという気がするのである。伊八本人を忌み嫌《い》うのではなかった。伊八に教えられて、七分賽を指の間で操っているとき、いかさま使いの底知れない喜びのようなものが見えてくる気がし、それが恐ろしかったのである。それは賭場で壺を振る仕事とは全く違うものだった。

だが、そうはいっても、おことに自分が作った鏡をやるなどということが出来るわけはなかった。せめておつなが言うような、町で買い求めた品でなく、源吉に磨いてもらった鏡でもやりたい。そしてそのことを正直におことに言うのだ。

そう思いながら、今日源吉の店に来たのであった。店に戻りたい、という言葉が口をついて出たのは、源吉と話している間に、不意にそれがわけもないことに思われたからである。

「駄目ですか、親方」

「駄目とは言ってねえよ」

源吉は、ちらと上眼遣いに市蔵をみた。

「だが、戻るとなると、一からやり直しだからなあ」

「しかし前には三年お世話になってます」

「そいつは考え違いだよ、市。昔とやり方も違ってな。この頃はあんなものがはやるようになっている」

源吉はびいどろ板を指さした。

「それに、さっきからおめえの身体を眺めているのだが、はっきり言うと、もう職人の身体じゃねえ」

市蔵は仕事場の若い職人たちを見た。肩の肉が盛り上がり、肌脱ぎになっている腹は、一片の弛《ゆる》みもなく筋肉が張っている。

市蔵は眼をそらして言った。

「やっぱり駄目ですか」

「それにな、市」

源吉は、またちらと市蔵を窺《うかが》う眼になった。その眼に怯《おび》えがある。

「気を悪くしちゃ困るが、おめえは一度は堅気の暮らしを抜けた人間だ。うちはいま気心が知れた人間ばかりでな。うまくいっている。おめえを入れても、長く続くとは思われねえ」

市蔵は苦笑した。眼が覚めたような気持になっていた。

「わかりました。なに、別に気なんぞ悪くしちゃいません」

「そうかい、わかってくれたかい」

源吉はほっとしたように、正直に表情を緩めていた。

「俺も年取って臆病になってな。おめえを戻したために、店が揉《も》めたりするのは厭《いや》なのだ。もっとも、どうしてもと言うんなら、ほかの店に口を利いてやってもいいぜ。いままでのことは一切伏せておいてな」

「いえ、結構です」

市蔵はきっぱりと言った。

金は張ってもいいから、びいどろで小さな手鏡を作ってくれと頼んで、市蔵は源吉の店を出た。しばらく歩いて振り返ると、見馴れた看板を下げた店先がみえた。六年前とどこも変っていないようだった。店の向かい側には肴屋、糸屋が並んで、肴屋の前には女たちが四、五人塊《かたま》って、魚を買うでもなくお喋《しやべ》りをしている。源吉の店の並びは、一軒しもた屋の長い塀をはさんで、桶屋があり、若い者が車から竹を運びおろしていた。深川森下町の、見馴れた町通りが続いている。

だが、この町はいま、市蔵を弾き出したのだった。久しぶりに会った源吉が優しかったのは、突然訪れてきた、一人のやくざ者を恐れただけのことだったのである。それを悟ることが出来ず、戻してくれなどと言ってしまったと思うと、市蔵は羞恥で汗ばむようだった。

市蔵は背を向けた。どこかで大勢の人間がどっと笑う声がする。市蔵には、それが源吉の店で自分を笑っている声に聞こえた。

山伏町の家に戻ると、おつなが出かける支度をしていた。

おつなは鏡を覗きこみ、唇で器用に紅をのばしながら言った。

「どうだったの？」

「何がだ」

「親方、ごきげんでしたって訊《き》いたの」

「ああ、大したご機嫌だよ」

市蔵は畳の上にひっくり返った。

「変ね。鏡は頼んで来たんでしょ？　可愛い子ちゃんにあげる鏡」

「ああ」

「あんた、やっぱり惚れてんだよ、その子に。深川まで足を運んで頼んでくるなんてさ」

市蔵は答えなかった。そうかも知れない、とふっと思った。だがすぐにそんな簡単なことじゃないという気がした。

今にして思えば、おことは市蔵がもう戻ることが出来ない世界から声をかけてきた、たった一人の人間だったように思うのである。おつなや、小梅の伊八、富三郎がいて、油煙を煙らせる賭場があるところではなく、人々が朝夕の挨拶をかわしたり、天気を案じたり、体のぐあいを訊《たず》ね合ったりし、仕事に汗を流し、その汗でささやかなしあわせを購《あがな》う場所。そこに戻ることが、どんなに難しいかは、さっき会ってきた親方の源吉を思い出せばわかる。

「帯、きちんとしてる？」

「ああ」

「ちゃんとみてよ」

「大丈夫だ」

市蔵はもの憂く言った。

六

飛騨屋というのは、思ったより小さな蕎麦屋《そば》だった。うどん、そば切と書いた行燈《あんどん》が煤《すす》け、晩秋の日射しに照らされて貧しげにみえた。

市蔵は気おくれを感じながら、しばらくその前に佇《たたず》んだが、やがて思い切って中に入った。店に入って、樽の腰掛けに腰をおろしてからも、気おくれは続いていた。

——俺をみたら、おことは何というだろうか。

図々しいやくざだと思いはしないかと、市蔵は心配だった。懐に、さっき源吉から受け取ってきたびいどろの鏡がある。おことが受け取るかどうかわからない。だが鏡を出し、正直に話すのだ。

「いらっしゃい」

青白い顔をした、痩《や》せた女が前に立った。顔の輪郭《りんかく》がおことに似ている。四十近いこの女が母親なのだろう。

「かけうどん」

注文して市蔵は店の中を見廻した。細長い店の中には、ほかに客も見えず、市蔵一人だった。

女が板場に戻って行って奥に声をかけると、やがて肥って血色のいい男が板場に出てきて、釜の前に立った。それがおことの父親らしかった。男が奥から出てきたとき、市蔵はおことの声が聞こえはしないかと、一瞬耳をそばだてたが、何の物音もしなかった。

うどんが運ばれてきて、それを喰いおわるまで、市蔵は何度も奥の様子をうかがったが、誰も出てくる気配はなかった。金を払って、市蔵の立ち上がるときが来た。

思い切って、市蔵は言った。

「おことちゃん、いますか」

「おこと？」

女は眼を瞠《みは》ったが、黙って首を振った。

「はあ？　お留守で？」

市蔵は気落ちしながら言った。

「どっか遊びにでも行ったんですかい。それじゃ……」

市蔵は懐に手を突っこんだ。鏡を渡してもらえば、おことは市蔵を思い出すだろう。まさか毀《こわ》しもしまい。源吉が作った手鏡は、見事な出来栄えだったのだ。おことが留守で、かえってよかったのかも知れない、と市蔵は思った。

だが市蔵の手は、女が次に言った言葉で止まった。

「おことは死んだんですよ。あんた」

「…………」

市蔵は息を詰めた。店の中が、ぐらりと傾いたような感覚に襲われた。囁《ささや》くように市蔵は訊《き》いた。

「いつ？」

「二月《ふたつき》ほど前」

すると、会わなくなって間もなくだ。

「もともと身体が弱い子でしたからね。足が弱くて、何年も寝てたんですよ。それが少し歩けるようになって、よく、そこの……」

女は河岸の方角を指でさした。

「川っぷちまで行っていたんです。歩く稽古をして、早く丈夫になるんだ、なんて言いましてね。人が沢山いるところはこわいからって、朝早く川っぷちの方に行ってたんです」

「…………」

「ほんとに足も少し丈夫になって、よかったと思っていたんですよ。それがある朝、大層汗をかいて戻ってきました。もう着物までしみ通るような汗でした。それから風邪をひきこんで、どんどん悪くなって……」

女は不意に声を途切らせると、前垂れを引き上げて眼を拭いた。

「いい子だったのに……」

「知らなかった。ひどいこともあるもんだ」

市蔵は呻《うめ》くように言った。

「あんたは？　店のお客さんでしたかしら？　おことを知ってるんですか」

「河岸で、ときどき見かけただけの知りあいですが……」

そう言っても、女はあいまいな表情でうなずいただけだった。おことは、市蔵のことを親たちに話してはいないらしかった。釜の前から父親らしい男がちらちらとこちらを見ている。

「しばらく姿を見かけなかったもんで。家がここだと聞いてたもんだから、寄ってみたんですが」

「そうですか」

女はぼんやりした口調で言った。

店を出ると、河岸に向かって市蔵はゆっくり歩いた。この道を遠ざかって行ったおことの後姿が思い出された。市蔵が声をかけたのに振り向かなかった。あれが見納めだったのだ。だが、おことが死んだなどということを信じられるだろうか。尻上りに、「おじさん」と呼ぶ澄んだ声が聞こえはしないかと、市蔵はあたりを見廻した。

だが晩秋の白い日射しが、河岸を染めているだけだった。その中を青物を担《にな》った男や、若い娘の二人連れ、片肌脱ぎになって荷車を挽《ひ》いて行く男などが通り過ぎ、大川の水の上を小舟が滑って行く。

通り過ぎた若い娘が立てた笑い声が、市蔵の胸を刺した。あんなに屈託なく笑える日が、ついに訪れることがなく、おことは死んだというのだろうか。

――これだから、世の中は信用がならねえ。

不意に市蔵はそう思った。衝《つ》き上げてきたのは憤怒だった。これだから、世の中なんてものはこれっぽちも信用出来ねえのだ。

市蔵は懐から鏡を出すと、包みを解いてそこに転がっている石に叩きつけた。朱塗りの柄が折れ、びいどろは砕片になって飛散した。飛散した破片は、それぞれが鋭く日を照り返し、市蔵は一瞬まばゆい光の中に立ったようだった。

「おい」

市蔵は、ぽかんと口を開けて自分を見ている男に、ずかずかと歩み寄った。

「何見てんだ、てめえ」

「いえ、何も」

頬被りの上に饅頭笠《まんじゅう》をかぶり、肩から商売道具を入れた籠を下げた雪駄直しは、市蔵の険悪な顔を見て、怯《おび》えたように後じさった。

「面白かったか」

「いえ」

「面白そうな面《つら》アしてたじゃねえか。そう言えば、てめえは気にいらねえ面をしてるな」

雪駄直しは、一歩ずつ下がった。その眼に恐怖のいろが浮かんでいる。

「やろう！　見世物じゃねえぞ」

市蔵は、いきなり雪駄直しの笠を弾《は》ね上げ、仰向けにのけぞった顔を張った。悲鳴をあげて男が倒れ、歩いていた人たちが立ち止まった。市蔵は、倒れたましっかりと籠を抱えている男の、腰のあたりを蹴とばすと、立ち止っている人間を陰気な眼で眺めながら、多田薬師の方に向かって歩き出した。

部屋に入ると、伊八はゆっくり起き上がり、胡坐《あぐら》をかいて市蔵をみた。伊八は富三郎の家のひと部屋に寝起きしている。

市蔵が部屋の隅から壺と賽子を持ってくると、伊八は尖った口もとをゆるめてにこにこ笑った。

「どうやら、やる気が出たようだな」

「べつに」

市蔵はそっけなく答え、伊八の前に膝をそろえて坐ると、四つの賽子を指の間に転がした。二つは本物の賽子で、二つはどう転がしても決まった目しか出ない七分賽である。四つの賽子は、市蔵の指の間に隠れて見えなくなったり、交互に壺の中で鳴ったりした。

「だんだんこいつの面白さが解ってくるのさ。賽子が言うことを聞くようになると、可愛いくて仕方なくなる。おめえも今にそうなる」

伊八は優しい声でそう言い、おや、今のはちょっと違ったぜ、と言って自分でやってみせた。伊八は女のように白く細い指をしている。その指に摑《つか》まれると、賽子が生きもののように自分から吸いついて行くように見えた。

「ほら、こんなふうだ」

伊八はもう一度座布団の上に四つの賽子を置くと左手でさっと撫でた。あとに賽子二つだけが残っている。市蔵は転がしてみた。二つとも本物だった。伊八は、別にいそがしい手つきでもなく、二つの賽子をつまんで壺を振った。二度振って壺をあけると、伊八は振ってみな、と言った。座布団の上の賽子を転がすと、それは二つとも七分賽だった。どこで入れ替ったのかわからなかった。

市蔵は伊八から壺と賽子を受け取ると、黙々と振った。

「もう少しだぜ。だいぶよくなった」

伊八が励ますように言った。

また暑い七月がやってきていた。だが町が目覚めるほんの少し前だけ、空気は冷えて、秋かと思われるほど冷たい光が町を覆う。

市蔵は賭場を出て庭を横切ると、潜り戸を押して路に出た。さっき賭場を出て行った客の姿も見えず、路は夜と朝の境目のあいまいな明るみの中に、ひっそり横たわっていた。うつむいて市蔵は歩き出した。眼も頬も疲労のためにくぼんでいるのが自分でわかった。睡気が頭を石のように重く硬くしている。

半刻前まで、市蔵は気疲れのするいかさまの壺を振ったのである。いかさまを使うようになったのは春頃からだった。まだ一度も気づかれたことはない。だがゆうべは、客の中に向嶋の花庄がいた。子分を五人連れてきていた。

花庄が姿を見せたのは、四ツ半（午後十一時）を過ぎてからだった。その少し前から、市蔵は中盆の栄太と打ち合わせていたとおりに、いかさまを使い始めていたが、花庄の鳥のように瘦《や》せた顔をみると、栄太の顔を窺《うかが》った。小梅の伊八は四月までいて、またどこかに行ってしまったが、富三郎の家を出る日、市蔵を呼んで、渡世人に使うのはやめた方がいい、と言った。べつにおめえの腕を信用しないわけじゃない、と伊八はつけ加えたが、その言葉は市蔵の心に残った。

だが、栄太の眼は、いかさまを続けろ、と言っていた。中盆の指図は絶対である。市蔵は、そのまま続けた。何も知らずに、いかさまの網の中に坐ってしまった花庄は、結局三十両近い金を負けてしまったようだった。

市蔵は緊張していたが、ぼろを出さずに済んだ。花庄に気づかれたとは思わなかった。いかさま賽は、生きもののように市蔵の指の間で息を殺したり、なにげないそぶりで壺の中に滑り込んで行ったりした。いままで一番いい出来だと、市蔵は思ったほどである。花庄は、半刻ほど前「負けた、負けた」と快活に言って座を立って行った。

市蔵は河岸に出た。向う岸の町屋のあたりに、微かな朱い色がまつわりはじめていたが、河岸はまだ夜の色を残し、川波が黒くみえた。

竹町の自身番の前に、人影が動いている。町雇いの老人が、竹箒《たけぼうき》で地面を掃いているところだった。白い髷《まげ》が小さく頭に乗っている。老人は前を通り過ぎる市蔵を見ようともせず、一心に箒を使っていた。

一年前の今頃おことと立ち話をしたあたりに来たが、市蔵は無表情にそこを通り過ぎた。おことという娘を思い出すことは、ほとんどなくなっている。市蔵の気持は荒《すさ》んでいた。昼酒を飲むようになり、酔うとおつなを殴りつけた。僅かに喜びのようなものを感じるのは、いかさま賽を忍ばせて、盆に坐るときぐらいだった。

「おい、待ちな」

不意に後から声をかけられた。振りむくと、花庄が立っていた。子分たちが、すばやく市蔵の後に回って退路を断った。手馴れた動きに見え、市蔵を待伏せしていたようだった。

「市蔵って言ったっけな」

花庄が近寄ってきて言った。細面の眼が吊り上がり、鼻が高く、鳥のような風貌だった。

「腕のいい壺振りだと思っていたんだが、おめえいつからいかさまを使うようになったんだい」

すっと身体に寒気が走ったように感じた。だがすぐに諦めがきた。そうか、やはりこういうことになるわけだ、と思った。

市蔵は静かに言った。

「なにか、勘違いじゃござんせんか」

「いや、いかさまさ。あれは富の差し金か。それともおめえ一人の仕事かい」

市蔵は答えずに、いまきた河岸の道を眺めた。自身番の前で、さっきの年寄がこちらを向いてじっと立っているのが見えた。赤味を帯びた暁の光が、ゆっくり町を染め、自分を包みはじめているのを市蔵は感じた。

遠方より来る

一

曾我平九郎が訪ねてきたとき、三崎甚平はそれが誰か、まったく解らなかった。土間は暗く、男は揉《も》みあげから顎《あご》まで、ふさふさと髭《ひげ》をたくわえている。四十恰好《かっこう》の大男だった。

「わしが誰か、わからんか」

土間一パイに立ち塞がった髭面の大男は、カッカッと笑った。

「さあーて。どなたで、ござったか」

甚平は上り框《かまち》に立ったまま、相手の顔をみた。といってもあまりじろじろ眺めるわけにもいかない。甚平は曖昧《あいまい》な薄笑いを浮かべた。最初女房の好江が出たのに、顔をみればわかる、と名乗りもせず、甚平自身が出ると頭からかぶせてくるような物言いをする。以前よほどの交際をした人間であるらしかった。

だが、まだ思い出せなかった。こういうときほど始末に困ることはない。相手は笑っているが、いよいよ甚平が思い出せないと知れば、やがて気を悪くするだろう。薄笑いでは間にあわなくなる。

甚平はあわただしく、昔伯耆《ほうき》日野の関藩に仕えた頃の同僚の顔を記憶に探ったが、眼の前の髭男に相当する知り合いは思い出せなかった。

小さい声で、甚平は言った。

「失礼ながら、どなたでござりましたかな？」

怒るかと思ったが、相手は怒らなかった。眉をひとゆすりし、顔を仰向けて、カッカッと笑った。

「思い出せんか。そうか。長いこと会っとらんから無理もないわ」

「まことにもって、その……」

甚平はうつむいた。相手の正体は、まるっきり模糊《もこ》としているが、その口ぶりを聞けば、薄笑いの次は恐縮してみせるしかない。

「曾我じゃ。曾我平九郎じゃ。どうだ、思い出したか」

相手は勢いこんで言った。隣の家に筒抜けだろうと思われる大声である。名乗りおわると、髭男は眼を丸くし、大きな口を半開きに笑わせた顔を、甚平に突きつけた。どうだ、驚いたかといった思い入れだが、甚平はいっこうに驚けない。まだ思い出せなかった。

「曾我平九郎どの？　は？」

「なんと、なんと」

曾我は陽気に喚《わめ》いて、甚平の肩を平手でどんと打った。甚平の総身に、しびれが走ったほど強い力だった。

「泰平の世の、武士を懦弱《だじやく》に導くこと、かくも速《すみや》かなる、だ。慶長の大坂攻めなど、もはや思い出しもせんか」

あ、と甚平は口を開いた。曾我が慨嘆口調で喚いた慶長の大坂攻めという文句で、男の正体が、漸くはっきりしたのである。

――そうか。あのときの男が曾我平九郎といった。

それにしても、妙な髭を蓄《たくわ》え、ずいぶん容子が変って垢《あか》じみていると思いながら、甚平は言った。

「これは曾我どの。おひさしぶりだ」

「やッ。思い出してくれたか」

「思い出した。狭いところだが、まず上がられい」

あの曾我平九郎だ、どういうわけでこの土地に現われたのかと思ったが、甚平はとりあえずそう言った。

ちょうど夕食にかかったところで、好江は茶の間でひっそりと様子をうかがっていたようだったが、甚平がそういったのが聞こえたらしく、慌《あわ》ただしく台所に出てきて、曾我にすすぎ水を出した。

足を洗って、茶の間に入ってきた曾我は、鴨居のところでひょいと首をすくめたりして、狭い足軽長屋には、禍《まが》まがしいほど大きな身体に見えた。その姿を、四つになる娘の花江が驚嘆の眼で眺めている。花江は甚平が入口で平九郎と問答している間に、喰べはじめていたとみえ、口の端に飯粒をつけ、箸を持った右手を宙に浮かせたまま、平九郎をまじまじとふり仰いでいた。

少しとまどい気味ながら、好江が丁寧に挨拶《あいさつ》するのを、平九郎は鷹揚《おうよう》に受けた。

「やあ、やあ。ご亭主どのの古い知りあいでの、曾我と申す。夜分邪魔つかまつる」

何かもっと、なにしに来たとでもいうかと甚平は耳を澄ませたが、平九郎の挨拶はそれだけだった。

「や。飯前だったか」

首を伸ばしてそう言った。恐縮した感じではなく、声にはどこか、うまく間にあってよかったというような、厚かましいひびきがあった。眼は、丹念にそこに出ている親子の膳の上を眺めている。

甚平は好江に眼くばせした。とりあえず夜食を差しあげろ、といった意味である。

好江も鈍い女ではないから、すぐに覚ったらしくうなずいたが、その眼に疑うような色がある。好江の眼は、飯を出すほどの間柄の客かと訊《き》いていた。

甚平は腹が立った。それを甚平自身が、自問自答している最中である。ただ平九郎の眼の色をみれば、飯を出さないでこの場がおさまる筈がないことは、ひと眼で知れるではないか。甚平の目くばせが、突然睨《にら》みつける色に変ったのに驚いて、好江は仕方なさそうに台所に出て行った。

その後姿を見送って、平九郎はゆったりと胡坐《あぐら》を組み直した。甚平は何となくいやな気分に襲われた。平九郎がじっくりと腰を据えたように見えたからである。

「さ。はやく済ませろ」

まだ平九郎に見とれて、手もとがおろそかになっている娘にかまってから、甚平は少し探りを入れた。

「一別以来というか、ずいぶんひさしぶりにお目にかかるが、なにか、このあたりにご用事で参られたか」

「さよう、用事といえば用事」

平九郎はあいまいなことを言って、カッカッと笑った。だが甚平は一緒になって笑う気持にはなれない。胸の中に幾つかの疑問があった。前触れもなく訪れてきたこの男は、この海坂城下に何の用があってきたというのか。夜分にきて、腰を据えて飯を喰おうという身構えだが、今夜の宿はあるのか。それにこの垢じみた着物と、むさくるしい髭は一体何だ。

こういう疑問は、平九郎を部屋に上げてから、だんだんに頭を持ち上げてきたことである。この疑いの中には、微かな後悔が含まれている。要するに、それほどのつき合いをしたとは思えない男が、あたかも旧知の友人といったのびやかな顔で部屋の中に坐っていることが、甚平の気持を落ちつかなくしているのだった。

甚平は、さし当って一番不安に思っていることを聞いた。

「今夜の宿は、どこかお決まりか」

「宿？」

平九郎は、子供にむけていた穏やかな笑顔を、びっくりしたように甚平にふり向けた。

「いや、まだ宿は決めておらん。何しろこの町に着いたばかりでな」

「…………」

「それよ。いっそここに泊めてもらってもいいのだ。そういたそう。積もる話もある」

平九郎は甚平に向き直って、大きな顔を突き出すようにした。瞬《まばた》きもしない眼が、甚平の顔をのぞき込んでいる。気押されたように甚平は答えた。

「さようか。そういうことなら、狭い家だが、泊られたらよろしかろう」

とんだ藪蛇だったと思ったとき、好江が台所から、お前さまと呼んだ。

「どうなさるつもりですか。あのようなことをおっしゃって」

甚平が台所に入ると、好江が詰《なじ》るように囁《ささや》いた。

「お布団がありませんよ。それに人をお泊めするような部屋がないじゃありませんか」

「納戸《なんど》を片づければ、一人ぐらい寝られる」

「お布団をどうしますか」

「たったひと晩のことだ。まだそんなに寒いというわけじゃなし、なんとかなるだろう。それぐらいは自分で考えろ」

「…………」

「俺の布団を貸してやればいいではないか」

「それだけの義理のあるお方なのですか」

好江は一そう声をひそめ、甚平の耳にあたたかい息が触れるほど、顔を近づけて言ったが、それには甚平は答えられなかった。

黙っていると、いきなり尻をつねられた。

「お前さまは、お人が好いから」

尻をつねられて、甚平は憮然として台所を出た。甚平が、いかに仕官を焦ったとはいえ、足軽に身を落としたのはどういうものだったかと、後悔に似た気分を味わうのはこういうときである。好江は大場という、同じ御弓組に勤める足軽の娘で、ときに市井《しせい》の女のような考え方や振舞いを見せることがある。嫁にもらった当座は、そういうことも珍しくて、足軽も気楽でいいなどと思ったこともあるが、子供が出来、女房が珍しい時期も過ぎると、そうでもなくなった。甚平は、六十石の小禄とはいえ、元をただせば士分である。好江の何気ない言動が、もと六十石の矜持《きょうじ》を、ちくと刺戟するような気がすることもある。

いまも、亭主の尻をつねるとは何ごとかと、むっとしたが、しかし昔は昔、足軽がそう固いことを言ってもはじまらない気もした。

平九郎が五杯目のお代わりを、好江に突き出したとき、甚平はこの男の正体が知れたと思った。

二

正確に言えば、正体は解っている。曾我平九郎という男は、越後三条の城持ち市橋下総守《しもうさのかみ》長勝に仕えて百石取りの武士だった男である。甚平が、慶長十九年の大坂攻めで、平九郎に会ったときは確かにそうだった。だがそれは十二年前の話である。

甚平が、正体が知れたと感じたのは、平九郎の今の身分のことである。平九郎はいまは多分市橋家の家臣ではあるまい。むろん百石取りの武士であるはずはなかった。それは着ているものの寒々しさ、そしてこの大飯の喰い様をみれば解る。

衣食足りてのち、礼節を知るということがあるが、衣服は垢じみ、飯はさっきから数えていれば、確かに五椀目である。首をひねりながらも、好江が大いそぎで飯を炊いたから間に合ったようなものの、炊き足さなかったら夫婦の喰い分はなかった筈である。

しかも喰い始めるとひと言も喋らず、ただ黙々として飯を掻込んでいるのは、単に身体が大きいといったことではなく、明らかに食が足りていない証拠である。衣食が足りていないから、五杯目のおかわりを要求して、恬《てん》として恥じる色もないわけである。容易ならぬことになったと、甚平は思った。

好江が台所の片附けに立ったのをみてから、甚平はさりげなく後を追って台所に行った。平九郎は満足そうにおくびなど洩らして、何か子供に話しかけている。

「おい、酒はまだあるか」

と甚平は言った。

「お酒ですと？」

好江が振り返った。裸蠟燭《ろうそく》の光に、好江の眼がきらきらと光った。好江が怒っているのが解る。平九郎は、結局六椀の飯と味噌汁三杯を腹の中におさめた。その上酒を飲ませるのかと、好江は言いたいわけだろう。

だが甚平に言わせれば、それだから酒を飲ませる必要があるのだ。相手が、三椀喰べたいところを二椀にとどめて、恐縮してみせるような尋常な人物なら酒もいらない。あとは布団を敷いて寝かせればいいのである。大事な寝酒である。一升の徳利を、ひと月もかけてちびりちびり飲む酒を、めったなことで他人に飲ませるわけにはいかないのだ。

だが、いま茶の間でおくびをしている人間は、大物である。何が目的でこのあたりにきたか、そのへんのところをいっこう曖昧《あいまい》にしたまま、平気で泊りこみを決め、飯は六椀も喰った。

曾我平九郎は、当分この家に居据《いすわ》るつもりでいるのでないか、と甚平は考える。すでにその徴候は、あちこちに見えている。そういうつもりならば、甚平の答えは決まっている。一晩はやむを得ないが、明日は引き取ってもらう。昔、曾我平九郎と確かに若干のかかわりあいはあった。そのことを認めるのに吝《やぶさ》かではないが、それはせいぜい一宿一飯の義理といった程度のものに過ぎないのだ。大きな顔をされるいわれはない。

だがそれを平九郎に言うには、あくまで慎重であらねばならない。先方に居据る了見がないのに、冷たくあしらったりしては、後で恥をかくことになる。飲ませて、相手の腹づもりを探る必要があるのだ。

「俺の寝酒だ。文句を言わずに出せ」

「無くなっても、当分買いませんよ」

と好江は言い、戸棚を開けて徳利を出した。

——女というものは、眼の前の得失しか見えん。

甚平はいつものようにそう思い、徳利をひと振りして中身を確かめると、茶の間に引き返した。

「お、お。酒か。それがしの好物じゃな」

徳利をみて、平九郎はたちまち相好を崩した。言うことは、あくまでも厚かましい。

納戸に平九郎の寝床を支度すると、好江と子供は早々に寝間に引っこんでしまった。寝間といっても、襖一枚をへだてるだけの隣の部屋である。そういう狭い家だから、好江が見ず知らずの人間を泊めるのを嫌がる気持も、甚平にはわかる。だが寝間に引きとる前の、好江の仏頂面は何ごとかと甚平は思う。平九郎は、とりあえずは遠来の客である。彼がこの家にとって、迷惑な客かどうかは、これから鑑定するところである。その見きわめがつくまでは、甚平としては朋《とも》有り遠方より来たる。また楽しからずやという構えでありたいのだ。

好江に言わせれば、夜分突然現われて泊るといい、大飯を喰っただけで十分迷惑だという気持かも知れないが、男はそういう短絡的な考えを取らない。遠来の客はとりあえずもてなし、いよいよ迷惑な客とわかれば、そこで初めて放り出す。男はそういう含みとけじめのある処置を考えている。好江のあの態度は、日頃の女房の躾《しつけ》のほどが丸見えで、恥し千万ではないか。

そのひけ目があるから、甚平はせっせと平九郎に酒を注《つ》いだ。酒は四、五日前に買ったばかりで、一升徳利にまだ八分目ほどの量が残っている。

「ところで、この海坂城下に、どなたか訪ねる人でもあっておいでか」

ころあいをみて、甚平は訊いた。これが、先ほど来曾我平九郎に対して抱いている疑問のかなめである。平九郎が、誰かこの土地の知り合いを訪ねてきて、ついでに三崎甚平のことを思い出し、立ち寄ったということであれば、粗衣、垢面《こうめん》も何ごとかあらんや、である。かかわりない。平九郎は明日は出て行くであろう。

それこそまさに遠来の客であり、飯六杯はおろか、酒が足りなければ、外に買いに走ってもいいぐらいである。

だが甚平がそう訊くのは、なんとなくそうではあるまい、といった疑いが胸の中にあるからである。そう思わせるのは、曾我平九郎の態度である。平九郎の態度は、本来あるべき客のつつましさを欠いている。どことなく落ちつくところに落ちついたとでもいうような、無遠慮なところがある。これは何なのかと甚平は思っている。それがわからないところに、甚平の不安があった。

この質問は、さっき一度はぐらかされている。今度は耳を澄ませる気持だった。

「ここに？　知り合いだと？」

平九郎はきょとんとした眼で、甚平をみた。顔は、髭のない部分が真赤になってい
る。飲むと赤くなるたちらしかった。

「貴公のほかに、知り合いなど、おらん」

と、平九郎は言った。

「なんと！」

今度は甚平が眼を瞠《みは》る番だった。さっきから努めて振りはらおうとしていた悪い予
感が、どっと頭の中に走り込んできた感じがした。

「それがしを訪ねて、海坂にござったとな？」

「さよう」

平九郎は、平然とうなずくと、甚平の手から徳利を奪いとるようにし、茶碗に注ぐ
と、うまそうに酒を啜《すす》った。

「わしも長いこと浪人をしておってな」

酒の効果は甚大で、甚平が聞きたいと思っている事情を、平九郎は自分から話し出
していた。

「禄を離れて、かれこれ六年になる。わが三条藩が禄を減らされて近江《おうみ》に移されたの

をご存じかな」

「いや、いっこうに」

市橋下総守長勝は元和六年三月に没したが、家を継ぐべき実子がなかったので、生前遺言して、養子の市橋三四郎長吉に跡目を譲ろうとした。しかし残された三条藩の家臣は、これを喜ばず、下総守の甥《おい》長政を立てたいと願い出て、藩内に若干の争いが生じた。

幕府がこれを裁決して、長政に市橋家を継がせて、越後三条から近江仁正寺に移し、三四郎長吉には、別に三千石を与えて御家人とした。この移封で、市橋家は四万一千二百石から、近江、河内あわせて二万石の身代に落とされた。

この減封のときに、相当数の家臣が禄をはなれたが、運悪く曾我平九郎もその中に入ったのである。

「それで？　その後仕官はされなんだか」

「とても、とても」

平九郎は手を振った。いつの間にか、片手はしっかりと徳利を抱えこんでいる。

「いずこも吝《しわ》いことは無類じゃな。大坂が片づいて、もはや大きな戦はないと、そう見ておるわけだ」

「しかし、それは元の百石にこだわるためではないのか。足軽にでも何でも身を落とす積りなら、まだ潜りこむ場所はあると思われるが」

甚平は自分の経験から推して、そう言った。

「貴公は実情を知らん。いま巷《ちまた》には浪人が溢れておるのだ」

「…………」

そう言われると、甚平にも反駁の言葉がなかった。北国のこの藩に雇われてきて七年になる。世の中の動きには多少疎《うと》くなっていた。するとあのとき思いきって藩の江戸屋敷に駈け込んで足軽に雇ってもらったのは、運がよかったということなのか。

「貴公は運がいい方だ。じつにうらやましい」

「そうかな。足軽になったことを後悔することもあるが」

「それはぜいたくというものだ。足軽、結構ではないか。こうして長屋をもらい、妻子を養っておられる。これ以上望むことはあるまい」

そうかも知れない、と思ったが、昔は百石取りの平九郎が、口の端に泡を溜めて、喚くようにそう言うのを聞いていると、どことなく哀れな気がした。

「ところで」

不意に平九郎が髭面を突きつけるように、首を前に伸ばしてきた。

「この藩に雇われるからには、高名ノ覚えを差し出したと思うが、それがしが書いた見届けの書付けは役に立ったかな」

おう、と甚平は思った。急に声をひそめて平九郎が言ったひと言で、眼の前にこの大男が胡坐をかき、徳利を膝にひきつけて坐り込んでいる理由が納得行ったのである。

――なるほど。あれを頼りにやってきたわけだ。

甚平はしみじみと平九郎の顔をみた。事態は思ったよりも複雑に出来ているようだった。

「わしにも一杯くれ」

甚平は茶碗をつき出した。

三

慶長十九年の十二月四日夜。三崎甚平は大坂攻めの徳川方に加わっている、関長門守一政に率いられて、大坂城の北、沢上江村の陣にいた。

関隊は、竹中、別所、市橋、長谷川、本多康紀隊と城方の京橋口の前面に陣を構え、後方には片桐、石川貞政、木下、花房、蒔田らの軍団が、後詰の形で控えていた。

その日は城をへだてて反対側に陣している前田利常が率いる加賀藩兵、井伊直孝、松平忠直が率いる彦根藩兵、越前藩兵が、真田出丸に攻撃をしかけて散々に敗れ、城方の意気が大いに挙った日だった。城方のあちこちから勝ち誇る鬨《とき》の声が何度も聞こえたし、京橋口を守る城方の中島氏種の陣場にも、どことなく騒然とした気配が感じられた。

その夜、関隊はほかの徳川方諸隊と申し合わせて、陣地の前面に絶えず斥候《せっこう》を出した。真田隊の勝ち戦で気をよくしている城方の兵が、夜襲をしかけてくるのを警戒したのである。夜空は薄曇りだったが、戌《いぬ》の刻あたりになって月がのぼったらしく、足もとがぼんやりみえる程度の明るみが地上に下りている。夜襲には手頃な夜といえた。

甚平が斥候に出たのは、亥《い》の下刻頃である。同僚五人と一緒に、西に淀川べりまで歩き、枯芦《かれあし》が残っている川べりを、備前島が見えるあたりまできたとき、突然町家の陰から飛び出してきた十人ほどの人影を見た。町の者ではむろんなかった。そのあたりの住民は、戦におびえて逃げ、町は無人になっている。

原田という斥候隊長が、すぐ合言葉を叫んだ。味方の陣地からは、ほかに大和川沿いに市橋隊の斥候が出ている。原田はそれを確かめたわけだが、そのときには、すばやく走り寄った敵に斬られてしまっていた。

「敵だ！」

身体がこごえるような恐怖に襲われながら、甚平は叫ぶと、夢中になって持っていた槍を振り回した。二十の甚平は、今度の戦が初陣だった。原田が斬られるのをみて、味方の一人は逃げたが、甚平を入れて三人が踏みとどまって敵と渡りあった。

間もなく、敵は急に引き始めた。本隊が突出して来たわけではなく、相手も斥候の隊らしかった。甚平たちが頑張るので、敵陣の領域で小競《こぜ》り合いが長びくのは不利と判断したようだった。

逃げる敵を、二人の同僚が追いかけた。

「おい、深追いするな」

甚平は町の入口まで追って行ってそう言ったが、二人は血が頭までのぼっているらしく、その後姿は、たちまち闇に溶けた。

甚平は立ちどまって町並みの奥をうかがったが、その奥に大軍がひそんでいる気配は感じられなかった。

——やはり物見だ。

甚平は、さっき闇の中から襲いかかってきた敵をそう判断し、深追いして行った同僚を案じて舌打ちした。まだ巡回する地域が残っている。

——あいつら、どこまで行ったのか。

ぼんやりした明るみが混る薄闇の中に、黒々と無人の家が続いている。追っかけて行った二人が、その薄闇の中に呑まれてしまったような、無気味な気がして、甚平はもう一度舌打ちした。

すると、その舌打ちが聞こえたように、右手の家の羽目板の下で、弱々しい唸り声がした。

「誰だ！」

甚平はとび上がるほど驚きながら、槍を構えた。答えはなく、また低い唸り声がした。近づいた甚平の眼に、足を地面に投げ出して、羽目板に寄りかかっている人間がみえてきた。桶皮胴を着て、兜《かぶと》を背中に紐で背負っている。手に刀を握っているが、その手は力なく地面に垂れたままだった。

「城方だな？」

甚平が言うと、男はうなずいた。ぜいぜいと喉を鳴らして肩で息をしている。今の小競り合いで傷を負い、ここまで逃げてきて倒れたらしかった。

男は甚平を見上げると、のろのろと左手を挙げ、自分の首を指さした。

「……たのむ」

男は囁くように言った。首を斬れという意思表示のようだった。甚平はさらに近づくと、足で男が持っている刀を蹴り離し、それからしゃがんで仔細に男の様子を調べた。草摺が千切れ、その下からどろりとしたものが腿《もも》の上にはみ出している。男の腸《はらわた》だった。

「なるほど。助からんな」

と甚平は気の毒そうに言った。

「中島勢の手の者か?」

男はうなずいた。ぜいぜいと息を鳴らしながら、必死な眼で甚平を見つめている。

「よし、介錯《かいしやく》は引き受けた。おれは関長門守の家来で三崎甚平というものだ」

「………」

「貴公の名は?」

男は必死に何か言おうとしたが、かすれた喉声が漏れるだけで、声にならなかった。

「いい。名乗らんでいい」

甚平は槍を置くと、男の肩を摑《つか》み、右手で小刀を抜くとすばやく喉を掻き切った。勢いよく血が吹き出して、甚平は立ち上がって避けたが、頰から肩にかけて男の血を浴びた。

どういうやり方であれ、人を殺したのはこれが初めてで、甚平は一瞬ここが戦場であることを忘れて茫然とした。

――どういう男なのか。

首と腕を前に垂れて、居眠っているようにみえる死骸を見ながらそう思った。馬乗りとは見えないが、士分の者に違いなかった。今度の戦で、大坂方の陣場には十万人以上の浪人が入ったという噂を聞いている。そういう一人だろうと思った。

甚平は道に出て、味方の陣地に帰ろうとした。敵を追って行った二人が戻ったかどうかは解らないが、帰って物見の報告をしなければならない。

「おい、貴公」

不意に後で声がした。

「このまま帰るつもりか」

甚平は振り向いて槍を構えた。道に立っているのは大男だった。甚平よりひとかさ大きい感じである。

男はカッカッと笑った。

「やたらに槍を振り回さんでくれ。わしは市橋の手の者で、曾我平九郎だ」

「味方か」

甚平はほっとして肩の力を抜いた。

「俺は関隊にいる三崎甚平。物見に出て、敵に遭った」

「わしの方も同様だ。敵が逃げたから追ってきて、貴公がやってることを見たところさ」

「あまりいい気持はせん」

甚平は正直に言った。

「帰って報告せねばならんので、失礼する」

「おい。このまま行くのか」

甚平は改めて、薄闇の中に相手の顔を探った。言っていることが解らなかった。

「首を取らんのか、と言っている」

「首?　いや、それは違う」

甚平はあわてて言った。

「その男とやり合って討ち取ったわけではない。苦しがっているから、止めを刺しただけだ」

「ははあ、なるほど」

平九郎は、甚平をじっとみて、それから胸を反《そ》らせてカッカッと笑った。

「貴公は正直な人物らしいな。いや、気に入った。しかし……」

平九郎は説諭する口調になった。

「悪いことは言わん。その首はもらっておけ。持って帰れば、貴公の手柄になる」

「…………」

「貴公は若いようだから、知らんのかも知れないが、手柄欲しさに拾い首を持ちこむ者もいる。それにくらべれば、そこにあるのは新品だ。もったいないではないか」

「そういうものか」

「そうよ。うん、わしが見届人になろう。見届けの書付けは、戦が始まらなければ、明朝貴公まで届ける」

「…………」

「遠慮するな」

平九郎は、ばんと甚平の肩を叩いて行ってしまった。

平九郎が去ったあと、甚平はしばらくそこに立って考え込んだ。平九郎が言ったことに心を動かされていた。さっき止めを刺した敵は、その前の乱闘の間に、自分が刺した相手かも知れないではないか。そう思うと、誘惑はさらに膨《ふく》れ上がった。

だが、結局甚平はその首を取らずにしまった。甚平が決心がつかずに考えこんでいるとき、関隊の者が十人ほど、殺気立って駈けつけてきたためである。援軍は、逃げ帰った者から、隊長の原田が斬られたことを聞いたが、甚平を含めて後の三人が、いくら待っても帰らないのを案じて、捜しに来たのであった。甚平は援軍と一緒に、敵を追って行った二人を探し、町並みを抜けた場所で、首のない二人の死骸を見つけた。二人はそこで、追って行った者の待伏せを喰ったらしかった。

援軍と一緒に帰隊したが、甚平はその夜、仮眠を許された枯草の上で、なかなか眠れなかった。いくら火を焚いても、襲ってくる寒気が睡気を奪うせいもあったが、甚平は、空家の陰に置いてきた死骸を考えていたのである。

——何も考えこむことはなかった。ここは戦場だ。

戦場は命を賭ける危険な場所だが、そのかわり運に恵まれれば、日頃の城勤めからは予想もつかない立身出世の機会にありつける。あの首で、五十石の禄が倍になるとは思わなかったが、少しばかりの加増は望めたかも知れなかった。

そう思うと、曾我という人物が言った言葉が、ひとつずつ鮮明に思い出されて、甚平はいよいよ眠れなかった。

夜が明けるのを待って、甚平はひそかに陣を脱け出すと、まだ暗さが残っている畑の間を駈け抜けて町まで行った。だが死骸はなかった。それがあったあたりに、大勢の乱れた足痕があり、夜の間に城方の兵が持ち去ったことを示していた。

夜がすっかり明けて、陣に戻った甚平が、同僚と朝の兵糧《ひょうろう》を喰っているとき、曾我平九郎がやってきた。明るいところでみると、いっそう逞《たく》ましい身体つきで、髭の濃い偉丈夫だった。

「これが、書付けだ」

平九郎が無造作に突き出した書付けを、甚平は開いてみた。十二月四日夜、片原町入口附近の戦闘で、関長門守家来三崎甚平が、首ひとつ挙げるのを確かに見届けた、と書き、署名、花押《かおう》がある。平九郎は、甚平がその首を取りそこねたとは夢にも思っていない様子だった。

甚平は黙って書付けを鎧《よろい》の下にしまった。自分がした幼稚な失策を覚《さと》られたくなかったし、それにわざわざ書付けを持参した平九郎の親切に対し、じつはこうだと打ち明けるのは憚《はばか》られる気もしたのである。

「それでは、何の義理もないではありませんか」

甚平の長話を聞き終った、女房の好江は気色ばんだ口調で言った。

「シッ、大きな声を出すな」

「言ってあげればいいのですよ。じつはあの書付けは、何の役にも立っておりませんと」

「そんなことを、いまさら申せるか」

「おや、どうしてですか」

「世話をしたくないための口実と思われるだけだ。かたがた俺という人間が、いかに間抜けだったかを、曾我どのに披露するようなものだ」

「仕方ないではありませんか。これからの迷惑を考えれば、いっそ打明けて、お引き取り願うのが、なんぼういいかわかりません。ゆうべだって、まあ、あんなに沢山召し上がって」

「黙れ」

甚平は言った。大きな声を出せないところは、睨みつけることで補って好江の口を封じた。平九郎は、まだ眠っている。

「男には体面というものがある。女子のように薄情な真似は出来ん」

好江は仏頂面で黙りこんだが、亭主が時どき振回す体面というものには、逆らわない方がいいと思ったのか、いくらか言葉を柔らげた。

「それでは、どうなさるつもりですか」

「いいか、曾我どのは仕官を望んでおられる。ひと肌脱がぬわけにはいかん。うまい口が見つかれば、すぐにこの家を出て行く。心配はいらん」

「でも仕官などという口が、すぐにありますか」

「なに、曾我どのはそう高い望みは持っておらんのだ。士分でなくともいいと言っている。足軽けっこう、いよいよとなれば中間、若党奉公も厭《いと》わんと、そう言った。浪々の間、苦労した模様だ。そして最後に俺を頼ってきたわけだ」

「…………」

「そなたのように、素気ないことを言って、突き離すわけにはいかん」

好江はそれでも不服そうに、まだ口をとがらせたが、あきらめたように口を噤《つぐ》んだ。

大きな欠伸《あくび》の声がした。納戸の大食漢が目を覚ましたらしかった。続いてこの家では聞いたこともない放屁の音がした。

夫婦は、何となく情ないような気分で顔を見合わせた。

四

曾我平九郎が納戸に引き上げると、甚平は欠伸をして、「さあ、寝るか」と好江に言った。欠伸の声が、以前より無躾に大きく、だらしなく、どことなく平九郎の欠伸に似ているように思い、甚平はいささか反省する。

「ちょっと、おまえさま、話が……」

と好江は言った。

「俺はもう眠いぞ」

「いま、お茶をかえます」

好江は台所に立って行った。

——どうせ、なにの話だろう。

と甚平はうっとうしく思った。平九郎の仕官話がどうなっているか、と好江は聞きたいわけだろうが、こういうことは早急には運ばないのである。平九郎が来てから十日ほど経ったばかりで、見通しも何もこれからの段階だった。

好江は熱い茶を淹《い》れて、甚平に出した。熱くて濃くて、甚平は思わず舌を焦がし、いっとき眼が覚めたような気分になった。

「寺田さまの方のお話はどうですか」

と好江は言った。寺田弥五右衛門は、御弓組支配の物頭である。

最初甚平は、所属の組の小頭である多賀源蔵に頼みこんだが、それだけでは物足りない気がした。曾我は、足軽でもいいと言っているものの、元をただせば百石取りの士分である。それに、人品の方は長い浪人暮らしでやや品下ったところがみえるものの、骨柄ひとつ取ってみても、やはり足軽という格ではないという気がした。

甚平は足軽として、三日のうち二日は城門の警衛を勤めるが、平九郎に六尺棒を持たせて門に立たせるのは、少し酷だという気がする。それで、小頭の多賀への依頼とは別に、その上の上司である寺田にも話を持ち込んだのである。

長屋の敷地に矢場があるくらいで、藩では足軽の練武に日頃気を配っている。市中にも弓や打太刀の稽古道場があり、二月《ふた》に一度は小組対抗の射的、打太刀の試合があり、秋には、城の北八里ケ原で大がかりな調練を行なう。名目は鷹狩りだが、仮想敵を見たてて する大規模な陣繰り調練だった。むろんこのときは、家中も参加し、臨時雇いの人足まで使って、藩公が調練をみる。終ると働きの目立った組に、藩公から賞詞があって、金品が下賜された。

こういう藩の気風であるために、物頭も小組対抗の試合には必ず顔を出し、ときには自腹で褒美を出して激励する。甚平は、子供の頃から打太刀の稽古に励んだので、小組の試合では巧みな太刀を使って、何度か所属する多賀組を勝ちに導いた。そのたびに物頭の寺田から褒美をもらっている。

寺田の褒美は、手拭い一本とか、山芋三本、米一升といったもので、本人が「褒美を出すぞ」と、恩着せがましく喚くほどには、組内の評判はよくないが、甚平がそのために寺田に目をかけられるようになったのは事実だった。

そうはいっても、家中と足軽の身分の差は大きく、甚平は恐る恐る平九郎のことを持ち出したのだが、寺田は請合った。その話の都合上、甚平は昔の自分の身分を打明けるはめになったが、寺田はそれで一そう甚平を見直したらしく、根掘り葉掘り甚平の身の上を訊《たず》ねたりして、機嫌は悪くなかったのである。

「話したからすぐというわけにはいかん。物頭は曾我どのを家中に加えるつもりだから、話が長びくのは当然だ」

「でも、お前さま」

好江は納戸の方を振り返って、甚平に膝を摺《す》りよせるようにした。平九郎を気にすることはないではないか、と甚平は思った。納戸からは、ごうごうといびきが聞こえている。

「あのな、お前さま」

「何だ。早く申せ」

「気味が悪いのですよ、あの方」

好江は甚平が城の門番に上がる日は、娘の花江を連れて、組長屋の敷地の中にある機織場《はたおりば》に行く。足軽の扶持は安く、甚平も六石二人扶持である。つましく暮らせばそれで喰えないことはないが、一家の暮らしというものは、喰えればよいというものではなく、慶弔のつき合いがあり、着る物もいる。月に一升徳利一本といえども、寝酒もいる。

どこの家も事情は同じで、女房、娘たちは何がしか内職して家計の足しにしている。先年までは御弓組の縫物、御持筒組の機織りと言われていた。御持筒組の組長屋は、構えがひと回り大きく、家の中で機織りが出来たからである。しかし機織りの方は、城下の品川屋という商人が、月々回ってきて、織り上がった反物を一手に買い上げて行く道がついているのに、賃縫いはつてを頼って注文を受けるだけで、仕事は、無ければ十日も二十日もないことがある。

御弓組の小頭が寄り集まって、そのあたりの苦情を物頭の寺田に訴えたために、寺田が藩にかけ合って組長屋の敷地の中に、機織場を建ててもらった。それが三年前で、考えてみると、甚平が寝酒を飲めるようになったのは、その頃からである。

　ふだん好江は、笹の葉に包んだ握り飯など用意して機織場に行く。子供にもそこで喰わせ、自分は自分で長屋の女房たちと、亭主の悪口などを言い合って、茶を何杯もおかわりして昼飯を済ませ、もうひと働きして夕刻に帰るのである。

　平九郎がきてからは、それが出来なくなった。一応は飯の支度をして喰わせなければならない。平九郎は、初めの二、三日は旅の疲れもあったのか、昼の間も納戸にごろごろしていたが、近頃は甚平が城に登るのと前後して外に出る。そうしてあちこちぶらついているらしかった。それが飯刻になると、測ったように、ちゃんと帰ってくる。帰って茶の間に胡坐をかいて、飯が出るのをじっと待つ。

　一度などは、よほど遠くまで行っていたとみえて、息せききって帰ってくると、しばらくはものも言えずにへたり込んで、好江はなんとなくあさましい感じがしたのだった。

　それはよい。花江がいるとはいえ、大男と三人で飯を食うのは気づまりだが、亭主がいう男の面子《メンツ》とやらに義理を立てて、好江はつとめてにこやかに飯を給仕する。相変らず六杯目を突き出されたりすると、腹の中に思わず怒気が動くが、それも我慢する。

だが平九郎は、飯をよそってもらいながら、妙な目つきで好江の下腹のあたりをじっと眺め、「お内儀は、お子は一人しか生まれなんだか」とか、「お子が一人では、淋しゅうござらんか」とか言う。また、今日は市中を散策している間に、たまたま女郎屋をめっけた、などと言って、好江のふくらんだ胸のあたりを、箸をとめて窺《うかが》ったりする。非常に気味が悪い。

「ふうむ」

甚平は腕をこまねいた。衣食が足りて、それで精神が礼節の方に向かうべきところを、方角違いの色欲の方に向いたか、と思う。厄介なことになった。

「しまりのない男だの」

「やっぱり出て頂きましょう。我慢にもほどというものがありますよ、お前さま」

ここぞとばかり好江が言う。

「まあ、待て」

出て行くかな、と甚平は思う。出て行くまい。まさか女房に色目を使ったからともいえないが、仮りにほかに口実を構えて出そうとしても平九郎は出て行くまい。

それではほうり出すか、と考えたとき、甚平はぎょっとした。改めて平九郎の雄偉な体格が眼の前に迫ってくる気がした。組み合ったら、間違いなくこちらが放り出されるだろう。

——厄介なものを抱えこんだ。

甚平は少し深刻な気分になった。納戸から聞こえるいびきを聞いていると、そこにひどく狂暴なものが棲《す》みついているように思われてくる。男の体面だの、同情だのとこだわって平九郎を家に留めたのは間違いだったかという気がした。実際もと三条藩士曾我平九郎について、甚平は何ほども知っているわけではない。

——仕方がない。あの金をやるか。

ふと甚平は思いついた。好江に内緒の金が少しある。寺田に気に入られて、時どき大事な用を言いつかることがあった。そのときもらった駄賃が溜っている。その金をやって、平九郎を女郎屋にやろう、と思ったのである。

好江をじろじろ眺めたりするというが、それを好江本人に気があると考えるのは早とちりというものだろう。平九郎は、要するに女っ気に餓えているに違いなかった。人なみに腹がくちくなって、女に対する関心が戻ってきたということに過ぎまい。

折角溜めた金を、女遊びの費用にくれてやるのはいまいましいが、ここで平九郎をほうり出すわけにもいかないとなれば、それもやむを得なかった。そうしてあの男の妙な気分を一応なだめておけば、そのうちには寺田の方の話が決まるかも知れない。

「どうしますか」

好江が返事を催促した。

「うむ、明日は非番だから、俺から十分に言って聞かせよう。心配するな」

甚平は渋面を作って言った。金をやって、平九郎を女郎屋で遊ばせるなどと打ち明けたら、好江はくやしさに狂い出し兼ねない。

床に入ると、甚平は好江の身体に手をのばした。なんとなく好江のさっきの話に煽《あお》られた気分がある。それに考えてみると、平九郎がきてから一度も好江を抱いていない。好江もすぐにその気になったらしく、しがみつくように身体を寄せてきた。甚平の手が乳房の丸味を摑《つか》むと、好江は小さい声を立てた。

すると、まるでその小さい声が聞こえたかのように、納戸のいびきがぴたりと止んだ。のみならず、騒々しく寝返りを打つ音まで聞こえる。

乳房を摑んだまま、甚平は進退きわまっている。みるみる胯間のものが勢いを失なうのを感じながら、甚平は納戸の大男に対して、心の中で呪詛《じゅそ》の言葉を吐き散らした。

五

秋風が町を通り抜けて行く。暑くなく寒くなく、顔を撫でる風はさわやかだった。未《ひつじ》ノ下刻頃とおぼしい高い日が、歩いて行く二人の影を、短く地上に刻んでいる。

「昨日の首尾はどうだったな？」

と甚平が聞く。女郎屋の首尾のことである。昨夜も、平九郎は夜食を喰い終ると、こそこそと夜の町に出て行った。帰ってきたのは、深夜の亥ノ刻過ぎだろう。

「それが、えらくもててな」

平九郎は胸を反らせて、鷹揚に笑った。色男然としたその顔つきが、甚平にはひとかたならずいまいましい。寺田にもらった駄賃は、べつに何につかうというあてもなく、何かのときにひょっと出したら好江が喜ぶだろう、ぐらいに考えていたのである。だが平九郎にやってみると、こういう使い方もあったな、と悔まれるのである。

しかし、ひとつ不審なことがある。その不審を甚平は口に出した。

「しかし、まだ金があるのか」

甚平は、へそくっていた有り金を平九郎に渡し、それこそ鷹揚に、少し遊んでこい、などといったが、額はたかが知れている。甚平の知識でも、二、三回登楼すれば、それで終りのはずだった。だが、平九郎が夜の町に出かけたのは、それ以後六、七度にもなる。

「心配ご無用。近頃は女が金を使わせぬ」

勝手にしろ、と甚平は思った。平九郎は顎の髭を撫でながら、器量がよく、気だてがよく、金を使わせないというおさくという女のことを喋り出した。眼など細めて、いい気なものだった。

商人町を抜けると、武家屋敷が並ぶ靫負《ゆげい》町に入った。人通りは急に少なくなって、秋の日射しが乾いた道と土塀を染めている。

前の方から五十恰好の武士が歩いてくる。非番で、どこか人を訪ねるとでもいった様子で、手に風呂敷包みを提げている。間隔が縮まると、甚平は履いていた下駄を脱ぎ、丁寧に辞儀をした。相手はじろりと一瞥をくれただけで通り過ぎた。

「大変なものだの」

歩き出すと、平九郎が言った。

「いや、もう馴れた」

「そういうものか」

「喰わんがためだ。貴公だって足軽になればこうせねばならん」

「……………」

「これから会う寺田どのには、貴公を士分にと頼んである。そのつもりで、軽率な振舞いは慎んでもらいたいな」

「解っておる」

平九郎は重々しく言った。

甚平は今日非番で家にいたが、物頭の寺田から使いがきた。平九郎を連れて屋敷にくるようにという使いだった。同道して来いというからには、話は平九郎の仕官のことで、しかも悪い話ではなさそうだった。

平九郎本人は悠然としていたが、甚平と好江は、喜びを隠すのに苦労した。漸く厄介な居候と手が切れる時期が来たようだった。好江など浮きうきして、知り合いから平九郎の身体に見合う羽織、袴を借りるために走ったくらいである。

寺田弥五右衛門の家は、靫負町の奥にあって、黒板塀で囲んだ広い屋敷だった。隣の家と生垣越しに顔を合わせて話したりする、足軽長屋とはくらべものにならない。

寺田は二百三十石だから、藩では上士のうちに入る。甚平の目算でも、屋敷は四、五百坪はある。屋敷うちには、欅《けやき》やこぶし、松などが自然木のまま立っていて、住居もいかめしく大きな構えだった。

二人は長屋門を潜った。玄関に入って訪《おとな》いを入れると、甚平も顔見知りの年寄りの家士が出てきて、「しばらく待て」と言った。次に出てきたのは物頭自身だった。

甚平が式台に手を突いて挨拶すると、寺田は気さくな口調で、

「今日は女子どもが寺詣りに出かけて、誰もおらん。上がれ」

と言った。寺田は甚平にも、「構わんからここから上がれ」と言ったが、甚平は固辞して庭から座敷の縁に回った。寺田の用を足すときにはいつもそうしている。

寺田は上機嫌だった。ひと眼みて、曾我平九郎が気に入った様子だった。畳みかけるように、越後三条藩での曾我の役向き、武芸の嗜《たしな》み、戦歴などを聞いている。

濡れ縁にかけて、家士からもらった茶を頂きながら、甚平は平九郎の答弁ぶりを気遣ったが、案じることはなく、平九郎は時どきカッカッと例の貫禄のある笑い声をまぜて、堂々とした応対ぶりだった。納戸に寝ころんで、放屁の音をひびかせている平九郎とは、まるで別人にみえる。さすがに、もと百石だと甚平は感心した。

「それがしの初陣は、石田治部少輔が叛《そむ》いた慶長五年の戦で、二十五のときでござった」

などと平九郎は言っている。

その頃市橋下総守長勝は、美濃今尾で一万石の城主だった。初の上杉攻めの徳川勢に加わって、小山の陣にいたが、石田の蜂起を聞いた家康の命令で、福島正則を伴って急遽《きゅうきょ》今尾城に帰った。今尾城には、間もなく石田方の高木八郎兵衛、福塚城主丸茂三郎兵衛の手勢が寄せてきたが、市橋は手勢僅か六百名で、寄せ手を夜襲で破り、敵が福塚城に籠ると、さらにこれを破って、高木、丸茂の両将を大垣城まで敗走させた。この勝利と福塚城を納めて大垣、桑名の往還を塞いだ働きを認められて、市橋は一万石の加増を受けた。

こういう話が、寺田は大好きらしかった。

「なるほど。そしてさらに大坂両度の戦にも参加しておる、と。む、歴戦の士じゃな。三崎」

甚平にも眼を細めて笑いかけた。

「このご仁。人品骨柄見上げたものだ。む、古武士の風格がある。例の話をすすめているが、まあ決まったも同然だ。安心しろ」

上々の首尾だった。

平九郎を推薦した自分まで面目をほどこした感じで、甚平は軽やかな気分で、平九郎と連れ立って寺田の屋敷を出た。大物の居候と縁が切れる見通しも、これでぐっと明るくなったようだった。

長屋に戻ると、好江は待ち構えていたように、甚平を台所に引っぱりこんだ。平九郎がまだ茶の間で借着の羽織、袴を脱いでいるのに、待ちきれずに亭主の袖をひっぱる。こうしたところは、好江は町方の女たちのようにはしたない。

「いかがでしたか？」

「ま、なんとかなりそうだな」

甚平は渋面をつくって言った。内心をいえば、寺田と平九郎の顔合わせは、うまく運び過ぎて笑いをこらえ切れない気持だが、好江には少し控えめに言っておく必要がある。あまり楽観的な見通しを言って、ひょっとして駄目になった場合、好江は落胆するよりも怒り狂うだろう。そういうたちである。そしてこういう話は、土壇場にきてフイになるなどということがよくあるのだ。

しかし、好江にも少しはいい匂いを嗅がせて置こう。

「曾我は、あれでな。外で喋らせると結構立派なことを言う。それにあの髭だろう。体格はよし、押し出しは相当なものだ。物頭も感心しておったな」

「では、間違いありませんか」

「まだそこまでは請負えん。今日物頭は曾我の人物をみたわけだが、二、三日中にご家老の淵田さまに会われる。そこで決めるという段取りだ。まだ油断は出来ん」

好江は甚平を手で押さえておいて、そっと茶の間をのぞいた。平九郎は、夜食まで間もないとふんだらしく、外には出ずに納戸に引っ込んだ模様だった。茶の間では、娘の花江だけがいて、人形と話している。

「でも、よござんした」

と好江は言った。

「いつまでも六杯飯を喰べられては、台所が持ちません」

「それはそうだ」

「作間さまからお借りした羽織と袴。なにかお礼をそえてお持ちしないと」

好江はその経費を思案するように首をかしげたが、不意に狂暴な眼で甚平を睨んだ。

「これでお話がだめになるようだったら、私はあの髭を毟《むし》ってやります」

「くだらんことを言うな」

甚平は呆れて台所を出ようとした。

「あのな、お前さま」

好江が後についてきて、声をひそめて言った。

「お前さま方が家を出たあと、妙な人が訪ねてきましたよ」

「…………？」

「曾我さまはいるかと。いいえ、それが曾我という浪人者がいるのは、この家かという言い方で」

「何者だ、それは」

「さあ。町方の人ですよ。風体のよくない、若い男が二人」

「はて」

甚平にはまるで見当がつかなかった。平九郎も、いつの間にか大層顔が広くなったものだと思った。

六

寺田に平九郎を引きあわせてから、四日目の夕方。甚平は大手門で門番をしていたが、そろそろ夜勤の番士と交代という時刻に、城中に呼ばれた。呼びに来たのは寺田についてきている中間だった。

――平九郎の話が決まったな。

と甚平は思った。城内にも事務、雑用を受け持つ足軽がいるが、甚平はずっと外勤めで、城の中に入るのは、年二回の大掃除とか、藩公の参覲《さんきん》の支度とかいう場合だけで、めったにない。

勝手口といったところから、案内されて一室に通り、薄暗いその部屋で待っていると、やがて寺田弥五右衛門がきた。

「やあ、この部屋は暗いな」

と寺田は言ったが、無造作に甚平の前に坐った。

「いい話があっての。夜、家へ呼ぼうかと思ったが、こういう話は早い方がよいからきてもらった」

「お頼みした話が決まりましたか」

「む？」

寺田は一瞬怪訝《けげん》な顔をしたが、すぐに手を振った。

「いや、曾我平九郎の話ではない。あれはまだ、二、三日かかる。三崎の話だ」

「私の？」

「さよう。今度多賀源蔵が、息子に職を譲って隠居する。多賀は知っているとおり病身での。その後釜の小頭に三崎を据えることにした」

「これは……」

甚平は茫然とした。思いがけない昇進だった。小頭といっても家中を束ねる組頭と違って、足軽の小頭は、御弓組、御持筒組といった内部の職制に過ぎない。組支配の物頭の裁量で決められる。

だが一応は十五人の足軽の長であり、住居も組長屋とは別な場所に一戸与えられ、士分に近い待遇を受ける。扶持も若干ふえるはずだった。

そこまで考えたとき、甚平の胸に漸く喜びが膨らんできた。思いがけない幸運が飛びこんできたようだった。

「有難うございます」

「うむ。三崎なら十分勤まると、前まえから睨んでおったのでな。ご家老とも話が済んで、扶持は七石二人扶持となる。精出せよ」

「は。せいぜい努めます」

「手続きに十日ほどかかるが、それが終ったら組にも披露する。家も禰宜《ねぎ》町に一軒与えられるから、そのときに引越せばよい。今度の家は広いぞ」

「はい」

「それから、と」

寺田は気ぜわしい手つきで懐を探った。

「これは支度金だ。べつに目見えということもないから、支度もいらんが、ま、藩から祝い金を出すのが例になっておってな。十両入っとる」

「有難うございます」

甚平の胸は膨らむばかりだった。金包みを押し頂きながら、好江が喜ぶだろうと思った。平九郎が飛びこんできてから、何となく女房に押され気味だったが、これで少し大きな顔が出来る。

「わしはこれで城を下がるが、そっちも勤めが終りなら、一緒に帰らんか。まだ、話もある」

「は。お伴します」

甚平は弾んだ口調で答えた。小頭となると、一足軽とは違って、いろいろな面で待遇が変ってくるようだった。寺田の口ぶりには、いままでと違った親しみがある。

大手門の番所に戻って、夜勤の者と引き継ぎを済ませると、甚平は下城してきた寺田に随《したが》って城を出た。

歩きながら、寺田は小頭の心得のようなものを話した。いざ戦となると、弓、鉄砲、槍の足軽組は戦闘の最前線で働くことになるが、小頭は物頭の指揮に従いながら、時には組の掌握上、とっさの場合の判断も要求される。そういう話から、組子の任免、扶持米の分配、勤務の割り振りといった平時の役目までいろいろとあって、寺田の話を聞いていると、小頭という役目は、待遇は一段いいものの、平の足軽とは違って責任も重いようであった。

「だが門番に立つこともないし、身体はぐっと楽になるぞ」

寺田は言ったが、不意に足をとめた。

「あれは何じゃ。この間の曾我ではないか」

寺田の声に、甚平は驚いて顔を挙げた。そこは城の南の小姓町の一角で、常福寺という一向宗の寺の横だった。

寺の裏手が少しばかり雑木林を残している空地で、そこに三、四人の人が立っている。道から離れていて、甚平たちがそこに立ってみているのには気づかない様子だった。

「なるほど。曾我です」

と甚平は言った。大きな身体と立派な髭は間違いなく曾我平九郎である。それはよいが、男たちは明らかに口論しているようだった。三人の男が、平九郎を取り囲むようにして、なにか烈しく言い募っている。男たちのうち二人は着流しの町人風で、一人は両刀を差した武士だった。武士といっても、袴もつけずやはり着流し姿で、むさくるしく月代《さかやき》が伸びているところをみると、近頃城下で多く見かける浪人者の一人のようだった。

こういう浪人者を見かけるようになったのは、ここ二、三年来のことである。彼らはどこからともなく城下にやってきて、しばらくしてまたどこかに去って行く。

「これは面白い。喧嘩じゃ」

寺田は甚平と、もう一人供をしている中間を振り返って笑った。

「曾我が、どんな喧嘩ぶりを見せるか、見物しよう」

甚平もそう思っていた。面白い見物になるだろうと思い、平九郎のことは心配しなかった。

事実平九郎は、相手を歯牙《しが》にもかけていない様子で、のっそりと立っている。だが男たちは、そういう平九郎の態度にいよいよ激昂した様子で、町人風の男が真直《まっすぐ》近寄ると、どんと平九郎の胸を突いた。

――おや。

と甚平は思った。突かれて平九郎は後によろけている。男はまた平九郎の胸を突いた。平九郎は、のけぞってその腕を掴もうとしたが、町人風の男はただの素性の者ではないようだった。機敏で、喧嘩馴れしていた。すばやく身体を寄せると、平九郎に足を絡んだ。

するとと平九郎が、たわいない感じでひっくり返った。無様に見えた。

「何じゃ、あれは」

寺田が舌打ちをした。甚平は、自分が辱《はずか》しめられたように赤面した。

「私が行きましょう」

「いや、待て。もう少し様子をみよう」

平九郎は町人風の男二人に、殴られ、足蹴《あしげ》にされていた。浪人者は少し離れて、その様子をみている。

突然男たちが逃げた。枯草の間から起き上がった平九郎の手に、刀が握られている。それをみて、浪人者が腕組みを解いて、ゆっくり平九郎に近寄って行く。遠くて、物音が聞こえないために、その動きには凄みがみえた。

「あれは、居合を使うぞ。そうではないか、三崎」

と寺田が言った。

「そのようです」

物頭はよく見抜いた、と甚平は思った。甚平の身体に寒気が走った。一瞬の居合に倒れる平九郎の姿が脳裏を走り抜けた。平九郎は刀を構えているが、甚平からみると、それは構えというものではない。腰が入らず、腕の絞りも、足配りもばらばらで、平九郎はかかしのように突っ立っているだけだった。

「勝負はこれからだな」

と寺田がまた言った。浪人者の居合を見抜いた寺田にも、平九郎の構えは見えないらしかった。甚平は息をつめた。

だが、男が一間半の位置まで間合いを詰め、そこでじりっと腰を落としたとき、思いがけないことが起こった。平九郎が刀を投げ出して、いきなり地面に坐って手を突いたのである。たちまち男たちが駈け寄った。

「三崎なら勝てるか」

と寺田が言った。

「は。あれぐらいなら」

「よし。後の始末はまかせる。存分にやれ。ああいう妙な奴らをのさばらしておくと、町のためにならん」

寺田はかんかんに怒っていた。勢いよく歩きかけたが、振り向くと険しい声で言った。

「それから、曾我か。あの男の話はなかったことにするぞ。とんだ喰わせ者じゃ」

一刻後、その喰わせ者と甚平は飲んでいた。五、六人も腰かけると、店が一杯になるような飲み屋で、人が出入りするたびに、夜の暗がりから吹き込む風が、冷たく首筋を撫でる。

「生来、争いごとが不得手でな」

平九郎は薄笑いした。いつもの豪放な笑いは出なかった。眼尻と額が、紫色に腫《は》れ上がり、眼尻の瘤《こぶ》は血がにじんでいる。顎の髭は汚れていた。

「あのときもそうだ。敵の物見にぶつかってのう。逃げ出して貴公に出合ったというわけじゃ」

平九郎は大きな指で盃をつまむと、ひと息に飲んだ。

「藩が半知に減封されたときに、ほうり出されたというのも、要すればそういうことでな。近江まで連れて行くにも及ぶまいというわけだった」

「ま。それはいいではないか。飲め」

甚平は酒を注いだ。甚平の内部にはまだ混乱がある。一個の偉丈夫が、ただの詐欺漢に変った驚きもあったし、厄介な侵入者が、ただの居候に変ったあっけなさもあった。

さっきの喧嘩にしても、聞いてみればお粗末な話だった。おさくという女が情があって、ただで飲ませて抱かせる、と平九郎はとくい気だったが、そんなうまい話が世の中にそうあるわけもなく、さすがに気がひけて少し足が遠くなったところに、とんでもないいつけが来て、払え、払えぬの争いが、あの始末だったのである。

寺田の意向は、すでに伝えてある。それに対して平九郎は何も言わなかった。寺田に見られたということで、万事諦めた表情だった。甚平としては、あとは飲ませるぐらいしか、やることはない。幸いに支度金というものが入って、懐はめったになく暖かい。

「それで、どうする？」

したたかに飲んだ感じの後で、甚平は言った。もう深夜で、残っている客は二人だけだった。飲み屋の亭主が、所在なげにするめの足を焼いて、自分で齧《かじ》っている。

「明日、ここをたつ」

「それで、どこへ行くのだ」

「それはわからん。ま、歩き出してから考えるか」

平九郎は、酒が入って漸く気を取り直したらしく、胸を反らせてカッカッと笑った。

「貴公、妻子は?」

「そんなものはおらん」

平九郎は、少し昂然とした口調で言った。淋しそうなところはなかった。

甚平は金包みを出して、半分の五両を渡した。

「これは何だ」

と平九郎が言った。

「当座の路銀じゃ」

「いや、これは受け取るわけにいかんぞ」

「なぜだ」

「厚かましく、飯は喰わしてもらったが、金までは恵みは受けん」

あのときは、女郎屋に行く金をもらったじゃないかと思ったが、甚平は平九郎の気持が解らなくもないと思った。あのときとは事情が違って、平九郎は化けの皮が剝げてみじめになっている。金をやるのは、哀れまれていると受け取られるかも知れなかった。

「じつは解っておったのだ」

と平九郎が言った。

「………？」

「足軽に雇われるのに、高名ノ覚えはいらん。むろんわしの書付けもだ。うかつにも途中で気づいた」

「………」

「だが貴公も、お内儀もそれを言わずに、黙って喰わせてくれた。忘れん」

平九郎は、優しい眼で甚平をみながら、板の上の小判をそっと押し戻した。

「あとは、納戸の片づけが残っているだけだな」

甚平は好江に言って納戸に入った。夫婦は、明日禰宜町に引越すために、大わらわで荷物をくくっていた。まとめてみると、貧乏世帯なのに驚くほど荷物がある。夕方には手伝いの組子が荷車をひいてやってくることになっていた。

――こんなところに、不平も言わずに寝ていたわけだ。

甚平は狭い納戸を見回して思った。この間までいた人間が、急にいなくなってみると、家の中で、そこだけ穴があいているような、妙な気分がした。

「悪い男じゃなかった」

と甚平はひとりごとを言った。

好江が聞き咎《とが》めて、何ですかと言った。好江は襷《たすき》がけで、白い二の腕まで露《あら》わにし、大張りきりで荷物を括《くく》っていた。そのそばで、母親にせがんで同じように襷をしてもらった花江が、長い箒《ほうき》を振り回している。

「いや、曾我のことよ。あれからどこへ行ったものかと思ってな」

「どこだっていいではありませんか」

好江は薄情なことを言った。

「もうあんなことは、二度とごめんですよ。あ、そこ手をつけないでくださいね。私でないとわかりませんから」

ああいう男が、またくるわけはないではないかと甚平は思った。

明かりとりの障子を開けると、真青な秋の空がみえた。草は枯れ、組屋敷の塀ぎわに柿の実が色づいている。

——しかし、気楽は気楽だろうな。

と思った。喰うためには、何かしなければならないだろうが、それは城に雇われている人間も一緒である。家もなく妻子の煩いもないというのは気楽なものかも知れないと思った。ただ人は、その孤独に堪えられないときがあるだろう。曾我平九郎が、この家に立ち寄ったのもそういうことで、いっとき人恋しかっただけかも知れぬ。

そう思うと、平九郎が、どこか日のあたる道を、のんきな顔でのそのそ歩いている姿がみえてきて、甚平は一瞬うらやましい気がした。好江は単純に喜んでいるが、小頭というのは気苦労の多い勤めなのだ。その証拠に多賀源蔵は、小頭になってから胃の腑をこわしている。

不意に腹の中にごろごろした感じが動き、何気なく力むと、それは高い音になった。

——ふむ。平九郎の置きみやげじゃな。

と甚平は思った。人の気配にふり返ると、好江が険《けわ》しい顔で睨み、花江があっけにとられた顔で父親を見上げている。

雪明かり

一

朝から底冷えがして、暗い雲の下に町全体がしんと静まりかえっているような刻《とき》が過ぎたが、七ツ（午後四時）過ぎになって雪が降り出した。師走《しわす》に入ってから二度めの雪だった。雪は、夜になると急に勢いを増して、切れめなく降り続いた。

菊四郎を追い越した男が二人、今夜は積りそうだ、と言うのが聞こえた。在方《ざいかた》の者らしく蓑《みの》を着た男たちである。一人は頬かむりをし、一人は笠をかぶっていたが、二人とも頭から肩にかけて、白く雪にまみれていた。

足駄にすぐ雪がくっついて歩きにくい。菊四郎は立止って足踏みをし、足駄の雪を落とした。二人の男の姿は、歩き悩んでいる菊四郎をみるみる引離し、やがて闇のなかに消えた。雪に追い立てられるような、速い足どりだった。町通りは早く戸を閉め、明るいのはいま菊四郎が歩いている坂下の一角だけである。そこには肴屋や青物屋が塊《かたま》っていて、店先に軒行燈や二百匁《もんめ》もありそうな裸蠟燭をともして、客を呼んでいる。店の内には客の姿がみえた。

菊四郎は、今度は傘を傾けて雪を払った。雪は水気を含んでいて、傘がすぐ重くなる。そのとき傾けた傘に、柔らかく重いものが触れた感じがした。人にぶつけたらしい、とはっとしたとき、向うから詫《わ》びの声がした。

「ごめんなされませ」

若い女だった。肴屋の軒先から走り出して、ちょうど来合わせた菊四郎の傘にぶつかった模様だった。

女は傘をあげた菊四郎に、もう一度小腰をかがめて去ろうとしたが、不意に足をとめて視線をもどした。同時に、菊四郎にもその女が誰だかわかっていた。

「由乃か」

菊四郎が言うと、由乃は頭にかぶせていた手拭いを取って、「兄さま」と言った。呟《つぶや》くような小声だった。

「魚を買いに来たか。ま、傘に入れ。そこまで送ろう」

菊四郎はとりあえずそう言った。軽い驚きが心の中にある。由乃に会ったのは、四、五年ぶりだろうと思われた。それが偶然にこんなところで会った驚きと、由乃がすっかり大人っぽくなっていることに対する驚きが混り合っている。

城中で、実父の佑助に会ったとき、由乃が来春に嫁入りする、と聞いている。そのときもびっくりしたが、由乃がもうそんな年になるか、と思っただけだった。だがこうして会ってみると、由乃はもう一人前の女だった。

「遠慮せずに入れ」

菊四郎に催促されて、由乃は身体をすくめるようにして傘の中に入ってきた。なまぐさい魚の香がした。雪が降りしきる中で、それは鋭く匂ったようだった。

「何を買ったな？」

「鰯《いわし》です」

由乃は小さい声で答えた。由乃は、どこか自分を恥じているようにみえた。傘もささず、粗末な身なりで、町女のように魚を買いもとめている姿を、菊四郎にみられたのを恥じているようだった。傘の下に入っても、菊四郎に身体が触れないように、気を配って歩いている。その気配が、菊四郎を刺した。

鰯か、と菊四郎は思った。実家の古谷の家では、菊四郎が芳賀《はが》家の養子になる前と変りない貧しい暮らしが続いているようだった。養家では、鰯は喰わない。そう思ったとき、菊四郎は何かのおりに実家のことを考えるとき、いつもそうであるように、あるうしろめたさに心をとらえられていた。

菊四郎が、御勘定預役で三十五石の古谷家から、同じ家中の芳賀家に養子に入ったのは、十二のときである。芳賀家は二百八十石で、当主は物頭を勤める家柄だった。

この破格の養子縁組が調《ととの》ったとき、芳賀家から条件が出された。両家の間で親戚づき合いはしない。菊四郎は特別のことがないかぎり、実家の古谷家には出入りさせない、というのが条件の中身だった。子供心に、菊四郎は芳賀家のその申し込みに反撥を感じたが、父の佑助は、一も二もなくその条件を呑んだ。

古谷家では、三年前に母親が病死し、後妻を迎えたが、子供が五人もいたのである。菊四郎と、ひとつ年上の兄の滝之助、後妻の満江の連れ子由乃と、すでに三人もいたのに、満江は嫁《とつ》いできてから男の子を二人生んだからである。父親の佑助は、芳賀家との養子縁組を名誉だと思っていたが、一方で菊四郎を外に出すことは口減らしになると考えたのであった。

養子になると同時に、菊四郎は実家から切り離されてしまったが、菊四郎が芳賀家の人間になって、ほぼ一年経ったころ、兄の滝之助が急死すると、その感じは一そう強まった。交際を禁じられたまま、実家は次第に遠ざかり、二百八十石の芳賀家の後取りという境遇に馴れて、年月が経ったようであった。

しかしそれだからといって、菊四郎がいまの不自由のない暮らしに自足し、生家のことを思い出しもしないということではなかった。むしろ広い屋敷で飲食しているから、菊四郎は、時おり脈絡もなく実家の貧しさを思い出すのである。

そして思い出すのは、不思議に父親や、まだ幼ない異母弟たちのことではなく、継母の満江や義妹の由乃のことだった。二人とも働き者だった。満江は乏しい家計のやりくりに頭を痛めながら、懸命に内職をし、由乃は母親に連れられて、古谷家に引き取られたその日から、掃除、洗濯を手伝い、母親が内職を探してくると、それも手伝った。由乃はそのとき、六つの子供だったのである。

父親の佑助は、三十五石の家禄を守って、芸もなく城と家の間を往復してきただけの男である。古谷家の貧しい暮らしを支えていたのは、継母と由乃だったのではないか、と菊四郎は思うことがある。

その貧しさは、いまも続いているはずだった。それは、こうして数尾の鰯を大事そうに提げている由乃をみればわかる。その貧しさから切り離された場所にいるうしろめたさが、菊四郎を実家につないでいる。

「由乃は嫁に行くそうだな」

と菊四郎は言った。由乃は一瞬足をとめて菊四郎をみたようだったが、黙って歩き続けた。由乃は無口なたちである。

「御旗組の宮本という家だそうだが、悪い家でないと、親爺が喜んでいたぞ」

「…………」

「どうした？　あまり嬉しそうでないな」

「いえ」

由乃がちらと白い歯をのぞかせたのがみえた。雪はもう道が白くなるほど積もって、表情がぼんやりとみえる。

「お前は働き者だから、嫁入り先でも気に入られるだろう。そうだ。何か祝いの品を買ってやるぞ」

「お祝いはいりません。心配しないでください」

「いらん？」

菊四郎はびっくりして、雪の上に立止った。

「どうしてだ。遠慮はいらんぞ」

「でも、兄さまは芳賀さまのお方ですから」

由乃は何気なくそう言ったのかも知れなかった。子供のときからそう言われてきているのだろう。だがその言葉は、やはり菊四郎の胸を刺した。

「窮屈なことを言うものでない。芳賀家の人間であることは確かだが、だからお前たちの兄でないという理屈はない」

「…………」

由乃は黙って歩いた。道は勾配《こうばい》のゆるい長い坂道にかかっている。

「はい。それでは頂きます」

坂の途中まできたとき、由乃が立止ってそう言った。菊四郎は微笑した。安堵の笑いだった。つとめて身を避けるようだった由乃が、その素振りをやめて寄りそってきたのを感じたのである。

「だいぶ思案が長かったな。では簪《かんざし》でも買ってやろう」

「うれしいこと」

と言ったとき、由乃はつるりと雪に滑った。あわてて手を出した菊四郎に縋《すが》りながら、由乃はまた滑った。菊四郎は、傘を捨てて両手で由乃をつかまえ、上に引き上げるようにした。由乃の小柄な身体が、菊四郎の腕の中に入ってきて、抱き合う形になった。小柄だが、由乃はずしりと重く、雪がくっついた下駄を履《は》いている菊四郎は、押されたぐあいになってよろめき、今度は由乃が菊四郎をささえた。

由乃はくすくす笑った。菊四郎も笑った。見ようによっては、若い男女が戯れているととられ兼ねないが、夜の坂道には雪が降りしきっているだけで、人影はみえなかった。この前由乃と会ったのは、四年前の山王社の祭りの人ごみの中でだったと、菊四郎は思い出していた。それからの時のへだたりが、一度に縮まったようだった。

「大きゅうなったし、美しくなったものじゃ」

傘を拾って、由乃にさしかけて歩きながら、菊四郎は慨嘆するように言った。快い親身な感情が胸を浸している。嫁に行く前の由乃に会い、そのしあわせを祝福してやれてよかったと思っていた。

「由乃は十八か。正月で十九か」

それには答えずに、由乃は不意に、

「兄さまも、間もなくでございましょ？」

と言った。さっきから考えていたことを口に出したような口ぶりだった。菊四郎は不意を衝《つ》かれたようで、少しうろたえた。

「うむ。まあな」

「おきれいな方だそうですね」

由乃の言っているのが、許婚者の朋江《ともえ》のことだとわかったが、菊四郎は黙った。朋江は美しいが権高な女である。

「では、ここで」

と由乃が言った。坂を上り切ったところで、道は四辻になっている。菊四郎は真直行くが、実家は左に曲った山伏町の奥にある。

「家の前まで送ってもいいぞ」

「いいえ」

由乃は後じさりするように傘の外に出て首を振った。

「兄さまに送ってもらったりしたら、母に叱られます」

「そうか」

「嬉しゅうございました。お話できて」

由乃は、はっきりした声で言った。

「もう、お会いすることもないと思いますから」

菊四郎が、何か言おうとしたとき、由乃は身をひるがえすように、狭い山伏町の町並の中に走り込んで行った。その姿はすぐに闇に消えた。背を向けたとき、一瞬なまめかしくくねった、若い女の腰の動きが、菊四郎の眼に残った。

二

「母上が、母上がと申されるが、そういうことは貴公の覚悟次第ではないのかな」

菊四郎は言った。少し気持が苛立《いらだ》っている。苛立ちは、眼の前にいる由乃の夫、宮本清吾の煮え切らない態度に触発されている。

実父の佑助から、由乃のことで相談を受けたのが昨日である。由乃は大病で寝ているらしいと佑助は重苦しい顔で言った。そのことを古谷の家の者は、宮本家の近所の口で知ったのである。宮本家からは何の知らせもないので、佑助も満江もしばらく様子を窺《うかが》ったが、こらえ切れなくなって満江が見舞いに行くと、玄関で追い返されたというのであった。

清吾の母親は、知らせる必要があれば、こちらから知らせる。嫁は確かに病気で臥《ふせ》っているが、医者も呼んで、手落ちなく看護している。それをあてつけがましく見舞いに来たのは、手当ての仕ように不服があっておいでか、と凄い剣幕で、満江は驚いて、家に上がるどころか見舞いの品も出しかねて帰ったのである。だが、満江はそれから夜も眠れずに心配している、と佑助は言った。

それが下城ぎわの話で、菊四郎は昨日は宮本をつかまえられず、今日漸《ようや》く会ったのだった。あれが由乃の夫か、と遠くから肉の薄い宮本の顔を眺めたことはあったが、話すのははじめてだった。

だが菊四郎がいろいろと問いただすのに、宮本の答えようが、いっこうに要領を得ないのである。由乃の病気はさほどでない、と言いながら、病名を聞いても答えず、満江が追いかえされた一件を持ち出しても、母に考えがあってしたことでしょう、とけろりとしている。話しているうちに、菊四郎は、青白い顔をし、手足も細い宮本から異様な感じを受け取っていた。由乃が、宮本親子に監禁されているような気さえしてくる。

「とにかく、貴公に同道して、由乃を見舞ってやりたい。よろしいか」

「いや、それは困ります」

と宮本は言った。二人は立ち止って、睨《にら》みあうように向き合った。大手門を出て、濠《ほり》に沿ってしばらく歩いたあとだった。八月の日射しが傾いて、濠の水の上に、巨大な城壁の影が伸びている。日射しは、昼の間はまだ真夏を感じさせるほど暑いが、この時刻になると、日の色にも吹く風にも秋めいた感触が混じった。

「困るというのは、どういう意味だ？」

菊四郎は怒気を押さえて言った。

「断わりもなしにお連れしては、母に叱られます」

「また母上か」

思わず嘲《あざけ》る口調になった。この相手に構ってはいられない、という気がした。

「それでは、さきに帰って、それがしがお訪ねする由を、母御に申されたらよかろう」

「…………」

「とにかく、貴公には悪いが、由乃が心配でならん。ぜひとも見舞いたい」

宮本は黙ってうつむいたが、そのまままくるりと背を向けると、いそぎ足に去った。その後姿を眺めながら、菊四郎はゆっくり歩き出した。宮本の姿は、濠の端で一度赤あかと日に照らされたが、すぐに家老屋敷の角を曲がってみえなくなった。風に吹かれているように、頼りない後姿だった。

だが、宮本の家に行ってみると、出てきたのは母親だけで、清吾はまだ帰っていません、と言った。仕方なく菊四郎は身分と名前を名乗り、由乃を見舞いに来た、と言った。

古谷の家では、由乃の嫁ぎ先に、菊四郎が芳賀家に養子に行っているとは話していなかったらしく、清吾の母親の顔には怯《ひる》んだようないろが浮かんだ。宮本は五十石である。そういう身分の差を思いくらべたようだった。だが菊四郎が訪ねてきた用向きを言うと、母親の顔には露骨に険《けわ》しい表情が現われた。

「それは、ご無用にして頂きます」

宮本の母は、切口上で言った。四十を過ぎているだろうに、顔には皺ひとつなく、若い身なりをしている。肉の薄い、頤《おとがい》の尖った顔が、宮本に生き写しだった。

「嫁は医者にも見せ、私が十分に看護しております。お見舞い頂くことはございません」

「古谷の母にもそう申されて、追い返されたそうだが……」

菊四郎は皮肉な口調になった。

「なにをそのように迷惑そうに言われる。見舞には来たが、べつにもてなしてくれとは申しあげておらん」

「嫁にもらったからには、由乃はわが家のもの。あれこれと実家の方が差し出がましくなさるのはお慎み頂きたいと申したのですよ」

「病気のものを、ひと眼見舞いたいというのは人情でござる。それだけのことで、べつにこちらさまに指図など申しあげるつもりはござらん」

「とにかくお断りいたします。嫁は別条ございませんゆえ、お引き取り下さい」

「いや、曲げて見舞って帰りたい」

菊四郎は、思わず荒い声を挙げた。相手の異様に頑《かたくな》な態度に、怒りよりも不安を感じていた。

「実家の母を追い返したようなわけにはまいりませんぞ。上がらせて頂く。兄が妹を見舞うのに理屈もいるまい」

そう言ったとき、菊四郎は由乃に呼ばれたような気がした。耳を澄ませたが、家の中はしんとしている。菊四郎は下駄を脱いだ。

「何をなされます、あなた。理不尽な！」

宮本の母は後じさりして叫んだ。その眼に憎悪の光が走るのを、菊四郎は睨み返した。

「家捜ししてはぐあい悪い。ご案内頂こうか」

宮本の母は、それでも顔をこわばらせて菊四郎を拒む手つきをしたが、不意に背を向けて先に立った。案内されたのは、台所の隅から庭に突き出して建て増した三畳間だった。むかし隠居部屋にでも使ったらしい、古い部屋だった。

部屋に入ると、いきなり異臭が鼻をついた。臭いの中には、あきらかに糞便の香が混っている。小さな明かり取りの窓から、暮れ色の光がぼんやりと射しこみ、その下に由乃が寝ていた。襤褸《らんる》のように、厚みを失なった身体だった。

「これは……」

茫然と菊四郎が振り返ると、宮本の母が口を歪《ゆが》めて言った。

「身体が弱いばかりで、役立たずの嫁ですよ」

足音が去るのを待って、菊四郎は由乃のそばにしゃがんだ。眼はくぼみ、頰の肉が落ちて、由乃は別人かと思うほど面変りしている。額に汗が浮き、渇いた唇からせわしない呼吸が洩れるのを、菊四郎は耳を寄せて聞いた。額に手をあてると、ひどい熱だった。

「由乃、由乃」

菊四郎が呼ぶと、由乃は薄く眼を開いた。しばらくぼんやりと見つめ、やがてその眼が大きく見開かれた。由乃の眼に涙が盛りあがり、眼尻から滴《したた》り落ちた。

「心配いらんぞ。山伏町に連れて帰って、養生させる」

菊四郎が言うと、由乃はうなずいた。それから、なにか言った。

「え？　何と言った？」

「はず、かしい」

由乃は、か細い声で言った。

「恥ずかしいことはないぞ。お前をこんなふうにしたのは、あの鬼婆アだとわかっている」

菊四郎が罵《ののし》ると、由乃の唇に微かな笑いが浮かんだ。由乃は菊四郎をひたと見つめたまま、堰《せき》を切ったように喋《しゃべ》りはじめた。声は小さくかすれて聞きとりにくく、菊四郎は由乃の口に耳をつけるようにして聞いた。

由乃は梅雨が明けるころ、流産した。だが宮本の家は、流産したから寝て身体を休めらるような家ではなかった。家事のほかに、山伏町の実家と同じように内職をしていた。由乃はきりきり働いた。

ある暑い日、由乃は激しい腹痛と目まいに襲われて倒れた。そしてそのまま起き上がれなくなった。暑い夏の間、由乃は物をたべる気力もなく、錐《きり》を揉《も》みこまれるような腹の痛みに堪え、目ざめては眠り、目ざめては眠って過ごした。身体は驚くほど衰えて、はばかりに立つことも出来なくなっていた。宮本の家では、一度も医者を呼んだことはなかった。

「ひどい家に嫁にやったものだ。親ひとり子ひとりという家は、えてしてそういうことがあると聞いたが、本当だったな」

菊四郎は、背中の由乃に言った。外が薄暗くなるのを待って、菊四郎は由乃を背負って宮本家を出た。そのときには清吾も戻っていたが、清吾も清吾と瓜二つの顔をした母親も何も言わなかった。背中の由乃は、子供を背負っているように軽い。

「だが由乃はまだ若い。ゆっくり養生して、また出直すさ」

由乃の答えはなかった。軽い寝息が耳に触れる。ただ菊四郎の首に回した手だけが、目覚めているかのように、しっかりとまつわりついていた。

三

「家の体面ということを考えていただかないと困りますよ。それぐらいの分別は、あなたにはあると思っていましたのにね」

落ちついた上品な口調だが、養母の牧尾の声には、底冷たいひびきがある。

「第一祝言を挙げる前から、茶屋通いをしているのでは、朋江《ともえ》が可哀そうでしょ」

牧尾はちらりと横に坐っている朋江をみた。朋江は、二百石で郡奉行を勤めている加瀬三十郎の娘で、牧尾の姪《めい》である。朋江は膝に手を置き、真直に背を立てて菊四郎を見つめている。派手な顔立ちの美貌に、取りつくしまもない冷ややかな表情が浮かんでいる。

「それもね。ただの遊びならばよござんすよ。いえ、結構だとすすめるわけではありませんが、茶屋で芸者衆を呼んで騒ぐというのは、男にはありがちのことです。それぐらいのことは私も承知しております。とやかくは言いません」

「…………」

「しかしあなたのは違いましょ？　決まったひとがいて通っているそうじゃありませんか。どうなさるつもりですか」

「しかし……」

菊四郎は顔をあげたが、言おうとしたことと別の言葉を口にした。

「よく調べられたものですな」

「あたりまえでしょ？」

牧尾はゆっくりした口調で言った。

「芳賀《はが》は親戚の多い家です。あなたがなさっているほどのことは、必ずどこからか耳に入ってきますよ。それに道場の稽古で遅くなったというあなたが、酒の匂いがしたのは不覚でしたね。全部調べさせてもらいました」

「………」

「菊四郎殿が、若い女を背負って町を歩いていた、と聞いたのは、あれはいつごろだったかしらね、朋江」

「秋口でございました」

と朋江が答えた。

「そうそ。そのときに、親戚の田村さまからご注意がありました。連れ合いの弥五右衛門殿が生きている間はともかく、いまは菊四郎殿が芳賀家の当主。その芳賀の当主が、事情は知らず、慎みない振舞いではないかということでした」

「…………」

「でもその節は私、あなたを弁護したのですよ。それには、なにか仔細がございましょうと。十年この家であなたを養って、あなたがどういう人間であるかはわかっておりましたからね。信用しておりました。そうでなければ、芳賀の家を継がせるわけはありません」

「…………」

「でも、あなたはその時の事情を、話しませんでしたね。なぜ隠したのか、この頃やっとわかりました。そのときの女のひとが、いま滝沢という茶屋で、あなたの酒の相手をしているひとだそうですね」

「しかし由乃は妹ですぞ。何か淫《みだ》らなことをお考えのようだが、それは母上のお考え違いでござる」

「でも、そのかた血の繫《つな》がりはないのでございましょ？」

不意に朋江が口をはさんだ。厳しく容赦のないひびきを含んで聞こえた。菊四郎は無視したが索漠《さくばく》としたものが胸をかすめるのを感じた。その味気ない気分は、格式ずくめの芳賀家とその周囲のやりかたからもきていたが、非難の座に据えられて、女二人に詰問されている自分の腑甲斐なさからもきていた。由乃のことを隠していたのが、弁明の余地のない弱味になっている。そういう自分の立場を承知しているから隠してきたが、裸にむかれてみると、ひどくみじめだった。

「それで、どうせよと言われる?」

菊四郎は自分のみじめさにあらがうように、傲然《ごうぜん》と顔をあげて二人をみた。

「茶屋に行くのは、やめて頂きます」

斬り返すように牧尾が言った。

「もともと、山伏町の古谷とはつき合いはしないというのが、あなたを引き取ったときの約定でした。約束は、守って頂かないと困ります。古谷とは身分が違いますから」

「…………」

「それに茶屋に働いているそのひとは、朋江が言ったように、血が繋る妹ではないというじゃありませんか。まして小禄とはいえ、武家の家の娘が茶屋勤めをしているとは、どういうことですか。信用なりませんね。あなたはだまされているのではありませんか。由々しいことです」

理詰めで高圧的な、養母の言葉を聞いている中、菊四郎は次第に堪えがたい苛立ちにとらえられていた。苛立ちは、出口をもとめて菊四郎の内部で荒れ狂うようだった。反論の言葉は喉もとまで膨《ふく》れあがっているが、それを口に出しても無駄で、言えば自分をみじめにするだけだとわかっている。

不意に菊四郎は笑い出していた。憤懣《ふんまん》が笑いに姿を変えて噴《ふ》き出したようでもあり、笑うしかない自分の立場に対する自嘲が洩れたようでもあった。二人の女は、あっけにとられたように菊四郎をみた。事実養母は「不謹慎な」と叱ったが、不思議なことに、女二人も菊四郎に続いて笑い出したのであった。若い朋江など、袖で顔を覆い、身をよじって笑っている。

笑い声の中には、菊四郎と朋江の間に婚約がととのった頃の、屈託なくどこか華やかな感じが戻ってきているようでもあった。

だがひとしきり笑い、笑いやんだあとに、寒ざむとした沈黙が訪れたとき、女二人は猜疑心と軽侮を、菊四郎は屈辱と自嘲を、すばやく取り戻していた。

「さ、どうなさいます？」

牧尾の声が、その沈黙を破ってひびいた。

四

「そういうわけでな。ここにも来辛くなった」

と菊四郎は言った。

菊四郎がさし出した盃に、由乃は黙って酒をついだ。由乃の頬には、ふっくらと肉がつき、眼には以前はなかった愁《うれ》いのようなものがある。一度躓《つまず》いた女の陰翳のようなものが、由乃につきまとっている。

宮本の家から、菊四郎に救い出されて家に戻ってから、由乃は二月《ふた》ほど寝ていた。だが医者にかかり、満江の手厚い看護をうけると、由乃の若い身体は、驚くほどすみやかに回復した。そのあとすぐ、由乃は茶屋に女中奉公に出たのである。医者に払いが溜っていた。それからさらに三月《みつき》経ち、医者の払いは済んだと言ったが、年を越えてからも、由乃はそのまま勤めている。

「それで、どうするんですか」

由乃は低い声で言って、菊四郎をじっとみた。その視線にうろたえたように、菊四郎は盃を呷《あお》った。

「どうもしようがないさ。当分はお前にも会えんということだな」

由乃が俯《うつむ》いた。微かなため息を聞いたように、菊四郎は思った。

「まだ、当分ここで働くつもりか」

「ええ」

由乃はうなずいて、微笑した。

「私、こういう商売が合っているようですよ。気楽です」

「しかし、そうもいかんだろう。父上は何も言わんのか」

「一度ああいうことがあったでしょ。だからしばらくそっとして置くつもりじゃありませんか」

「ここでは気に入られているのか」

「ええ、とっても」

「不思議なものだな。お前が茶屋の女中などをして、俺はこうして酌をしてもらって酒を飲んでいる」

「また叱られませんか」

「婆アのことなど、うっちゃっとけ」

菊四郎は乱暴な口をきいた。酔いがまわっていい気分だった。

「二百八十石が何様だと思っているのか知らんが、二言めには芳賀家だ、体面だとうるさい婆さんなのだ」

「大きな声を出さないで。人に聞こえたら大変ですよ」

「なんの話だったかな、由乃」

「こうして私がお酌をするのが、不思議だと言ったんですよ。べつに不思議なことはないのに」

「それだ。お前と母上を古谷の家に引きとったとき、親爺はいずれお前を兄貴に娶《めと》せるつもりだったらしいな」

「…………」

「ところが兄貴は死んで、お前は女中勤めなどをして苦労している。そして俺はいま、芳賀家の人間だから、酒を飲みにくるぐらいのことしか出来ん。そうやって、お前や古谷の家に詫《わ》びているのかも知れんなあ」

「詫びるなんて言わないで」

「ところが婆さんは、お前に会うのも止めろと言うわけだ。バカ婆アめ」

「仕方がないことです。みんな世間体に縛られて生きているんですから」

「利いたふうなことを言うものではないぞ、由乃。酒を注げ」

「大丈夫ですか、そんなに飲んで」

「俺はなあ。こうしてお前と一緒にいるときが一番気楽だ。俺が俺だということがわかる」

「ほんとうですか」

「養子になぞ、なるんじゃなかったな。俺は一生、裃《かみしも》を着て通さなければならん」

「でも、朋江《ともえ》さまという方は、おきれいなひとだそうですね」

「朋江？　なに、あんなのは婆さんとひとつ穴の貉《むじな》でな。高慢ちきな女だ。由乃の方が、よほど美しい」

菊四郎は由乃の手を取った。滑らかな手触りだった。不意に菊四郎は、酒がさめるような気がした。指をまかせたまま、由乃は俯《うつむ》いてじっとしている。

由乃に会うとき、いつもやってくる場所にきたのを、菊四郎は悟った。立止るその場所から、その先はひと跳びの距離に過ぎなかった。だが菊四郎は繋れていた。跳べば由乃もろともその裂け目に墜《お》ちるのがみえている。

「跳べんな」

「え？」

由乃は物思いに捉《とら》われていたらしく、ぼんやりした眼で菊四郎をみた。それから、さながら今の呟きを理解したかのように、身を寄せて菊四郎の肩に、額をつけた。熱い額だった。

山伏町の家を出ると、菊四郎は迷路のように入り組んでいる町並みを、俯いて坂上の方に歩き出した。胸に、いまみたひとつの所書きが焼きついている。それをみたために、菊四郎の胸は、激しく波立ち、雪の道に躓《つまず》いた。所書きは、江戸の牛込北、白銀町という場所にある一軒の商家のものだった。そこに由乃がいる。由乃は江戸に行くとき、菊四郎が訪れてきたら渡すようにと、その所書きを母の満江に残して行ったのである。由乃は江戸に逃げたのではなかった。遠くから菊四郎を呼んでいた。

歩いている町は、小さな武家屋敷が軒を寄せ合うようにならび、道は狭く曲りくねっている。どこかで屋根の雪が滑る音がした。

坂上の道に出ると、視界はぼんやりと明かるくなった。ゆるやかに勾配が続き、坂の下に黒々と夜の町が眠っているのがみえた。人気がないおぼろな坂道を、菊四郎は少し苦しいような気持で眺めた。

——いまなら、まだ跳べると由乃が言っている。

菊四郎はそう思った。朋江との婚礼が、月末に迫っていた。今日、茶屋を訪ねたのは、その前にもう一度由乃に会おうと思ったのだ。だが由乃は、ひと月も前に茶屋をやめていた。菊四郎はすぐに山伏町の実家に行った。そこではじめて、由乃が江戸に奉公に行ったことを知ったのである。だが由乃は、所書きを残していた。

坂を見おろしていると、そこで四年ぶりに由乃と会ったときのことが思い出された。そのとき雪に滑って、屈託なく笑った由乃の声が甦《よみが》えるようだった。すると雪の坂道は、不意に寂寥《せきりよう》に満ちた場所にみえた。胸の波立ちはおさまり、かわりに由乃の不在が、鋭く胸をしめつけてくるのを、菊四郎は感じた。

――由乃は、跳べと言っている。

そうやって、由乃と夫婦になるしかないのだと思った。汚物にまみれ、骨と皮だけになった由乃を宮本の家から救い出したときから、そのことはわかっていたのだった。そして由乃もそれをわかっていたのだ、と思った。

――江戸に行くのだ。

菊四郎は坂に背を向けて、ゆっくり歩き出した。芳賀家との絶縁、朋江との破約。そうしたひとつひとつに、人々の非難と軽侮が降りかかってくるだろう。騒然とした罵《のの》りの声が、もう聞こえる。その声を背に、一人の人でなしとして、故郷を出るしかないのだと思った。菊四郎は、いまそのことを恐れていない自分を感じる。

——いま、跳んだのか。

と菊四郎は思った。遠く由乃が呼ぶ声を聞いたように思い、菊四郎は立止った。雪明かりの道があるだけだったが、驚くほど身近に由乃がいるのが感じられた。

新装版《しんそうばん》　雪明《ゆきあ》かり
藤沢周平《ふじさわしゅうへい》

2006年11月15日第1刷発行
2011年3月1日第18刷発行

発行者——鈴木　哲
発行所——株式会社　講談社
東京都文京区音羽2-12-21　〒112-8001
電話　出版部 (03) 5395-3510
　　　販売部 (03) 5395-5817
　　　業務部 (03) 5395-3615
Printed in Japan

講談社文庫
定価はカバーに
表示してあります

デザイン—菊地信義
本文データ制作—講談社プリプレス管理部
印刷———豊国印刷株式会社
製本———株式会社千曲堂

ISBN4-06-275565-3

講談社文庫刊行の辞

二十一世紀の到来を目睫に望みながら、われわれはいま、人類史上かつて例を見ない巨大な転換期をむかえようとしている。

世界も、日本も、激動の予兆に対する期待とおののきを内に蔵して、未知の時代に歩み入ろうとしている。このときにあたり、創業の人野間清治の「ナショナル・エデュケイター」への志を現代に甦らせようと意図して、われわれはここに古今の文芸作品はいうまでもなく、ひろく人文・社会・自然の諸科学から東西の名著を網羅する、新しい綜合文庫の発刊を決意した。

激動の転換期はまた断絶の時代である。われわれは戦後二十五年間の出版文化のありかたへの深い反省をこめて、この断絶の時代にあえて人間的な持続を求めようとする。いたずらに浮薄な商業主義のあだ花を追い求めることなく、長期にわたって良書に生命をあたえようとつとめるところにしか、今後の出版文化の真の繁栄はあり得ないと信じるからである。

同時にわれわれはこの綜合文庫の刊行を通じて、人文・社会・自然の諸科学が、結局人間の学にほかならないことを立証しようと願っている。かつて知識とは、「汝自身を知る」ことにつきていた。現代社会の瑣末な情報の氾濫のなかから、力強い知識の源泉を掘り起し、技術文明のただなかに、生きた人間の姿を復活させること。それこそわれわれの切なる希求である。

われわれは権威に盲従せず、俗流に媚びることなく、渾然一体となって日本の「草の根」をかたちづくる若く新しい世代の人々に、心をこめてこの新しい綜合文庫をおくり届けたい。それは知識の泉であるとともに感受性のふるさとであり、もっとも有機的に組織され、社会に開かれた万人のための大学をめざしている。大方の支援と協力を衷心より切望してやまない。

一九七一年七月

野間省一

藤木美奈子　傷つけ合う家族〈ドメスティック・バイオレンスを乗り越えて〉
福井晴敏　Twelve《トゥエルブ》 Y.O.《ワイオー》
福井晴敏　亡国のイージス(上)(下)
福井晴敏　川の深さは
福井晴敏　終戦のローレライ I～IV
福井晴敏　6ステイン
福井晴敏　平成関東大震災〈いつか来るとは知っていたが今日来るとは思わなかった〉
福井晴敏作　霜月かよ子画　C-blossom《シーブロッサム》〈case《ケース》729〉
藤原緋沙子　遠花火〈見届け人秋月伊織事件帖〉
藤原緋沙子　春疾風《はるはやて》〈見届け人秋月伊織事件帖〉
藤原緋沙子　暖鳥《ぬくめどり》〈見届け人秋月伊織事件帖〉
藤原緋沙子　霧の路《みち》〈見届け人秋月伊織事件帖〉
福島章　精神鑑定　脳から心を読む
椹野《ふしの》道流　暁天の星〈鬼籍通覧〉
椹野道流　無明の闇〈鬼籍通覧〉
椹野道流　壺中《こちゅう》の天〈鬼籍通覧〉
椹野道流　隻手《せきしゅ》の声〈鬼籍通覧〉
椹野道流　禅定の弓〈鬼籍通覧〉
古川日出男　ルート3《サン》5《ゴー》0《マル》

福田和也　悪女の美食術
藤田香織　ホンのお楽しみ
辺見庸　永遠の不服従のために
辺見庸　いま、抗暴のときに
辺見庸　抵抗論
星新一　エヌ氏の遊園地
星新一編　ショートショートの広場①～⑨
保阪正康　昭和史七つの謎
保阪正康　昭和史 忘れ得ぬ証言者たち
保阪正康　昭和史 七つの謎 Part2
保阪正康　あの戦争から何を学ぶのか
保阪正康　政治家と回想録〈読み直し語りつぐ戦後史〉
保阪正康　昭和の空白を読み解く〈昭和史 忘れ得ぬ証言者たち Part2〉
保阪正康　「昭和」とは何だったのか
保阪正康　大本営発表という権力
堀和久　江戸風流女ばなし
堀田力　少年魂
星野知子　食べるが勝ち！
北海道新聞取材班　追及・北海道警「裏金」疑惑

北海道新聞取材班　日本警察と裏金〈底なしの腐敗〉
北海道新聞取材班　実録・老舗百貨店凋落〈流通業界再編の光と影〉
北海道新聞取材班　追跡・「夕張」問題〈財政破綻と再起への苦闘〉
堀井憲一郎　『巨人の星』に必要なことはすべて人生から学んだ。あ。逆だ。
堀江敏幸　熊の敷石
堀江敏幸　子午線を求めて
本格ミステリ作家クラブ編　紅い悪夢の夏〈本格短編ベスト・セレクション〉
本格ミステリ作家クラブ編　透明な貴婦人の謎〈本格短編ベスト・セレクション〉
本格ミステリ作家クラブ編　天使と髑髏の密室〈本格短編ベスト・セレクション〉
本格ミステリ作家クラブ編　死神と雷鳴の暗号〈本格短編ベスト・セレクション〉
本格ミステリ作家クラブ編　論理学園事件帳〈本格短編ベスト・セレクション〉
本格ミステリ作家クラブ編　深夜バス78回転の問題〈本格短編ベスト・セレクション〉
本格ミステリ作家クラブ編　大きな棺の小さな鍵〈本格短編ベスト・セレクション〉
本格ミステリ作家クラブ編　珍しい物語のつくり方〈本格短編ベスト・セレクション〉
星野智幸　毒身
星野智幸　われら猫の子
本田靖春　我、拗ね者として生涯を閉ず(上)(下)
本田透　電波男
本城英明　警察庁広域特捜官　梶山俊介〈広島・尾道「刑事《デカ》殺し」〉

講談社文庫　目録

前川麻子　すきもの
町田　忍　昭和なつかし図鑑
松井雪子　チル☆
牧　秀彦　裂《れっ》帛《ぱく》〈五坪道場一手指南〉
牧　秀彦　凜《りん》々〈五坪道場一手指南〉
牧　秀彦　雄《ゆう》飛《ひ》〈五坪道場一手指南〉
牧　秀彦　清《せい》冽《れつ》〈五坪道場一手指南〉
牧　秀彦　美《び》剣《けん》〈五坪道場一手指南〉
牧　秀彦　無《む》我《が》〈五坪道場一手指南〉
真梨幸子　孤《こ》虫《ちゅう》症《しょう》
まきの・えり　ラブファイト(上)(下)〈聖母少女〉
牧野　修　黒娘　アウトサイダー・フィメール
毎日新聞夕刊編集部　女はトイレで何をしているのか?〈現代ニッポン人の生態学〉
前田司郎　愛でもない青春でもない旅立たない
間庭典子　走れば人生見えてくる
松本裕士　兄弟〈追憶のhide〉
枡野浩一　結婚失格
三浦哲郎　曠野の妻
三浦綾子　ひつじが丘

三浦綾子　岩に立つ
三浦綾子　青い棘《とげ》
三浦綾子　イエス・キリストの生涯
三浦綾子　あのポプラの上が空
三浦綾子　小さな一歩から
三浦綾子　増補決定版　言葉の花束〈愛といのちの792章〉
三浦綾子　愛すること信ずること
三浦光世・三浦綾子　愛に遠くあれど〈夫と妻の対話〉
三浦明博　死《し》水《すい》
三浦明博　サーカス市場
宮尾登美子　東福門院和子《まさこ》の涙
宮尾登美子　新装版天璋院篤姫(上)(下)
宮尾登美子　新装版　一絃の琴
皆川博子　冬の旅人(上)(下)
宮崎康平　新装版　まぼろしの邪馬台国　第1部・第2部
宮本　輝　朝の歓び(上)(下)
宮本　輝　ひとたびはポプラに臥す1~6
宮本　輝　新装版二十歳《はたち》の火影《ほかげ》
宮本　輝　新装版命の器

宮本　輝　新装版　避暑地の猫
宮本　輝　新装版　ここに地終わり　海始まる(上)(下)
宮本　輝　新装版　花の降る午後(上)(下)
宮本　輝　新装版　オレンジの壺(上)(下)
峰　隆一郎　寝台特急「さくら」死者の罠
宮城谷昌光　俠骨記
宮城谷昌光　夏姫春秋(上)(下)
宮城谷昌光　花の歳月
宮城谷昌光　重《ちょう》耳《じ》(全三冊)
宮城谷昌光　春秋の色
宮城谷昌光　介《かい》子《し》推《すい》
宮城谷昌光　孟嘗君　全五冊
宮城谷昌光　春秋の名君
宮城谷昌光　子産(上)(下)
宮城谷昌光他　異色中国短篇傑作大全
水木しげる　コミック昭和史1〈関東大震災~満州事変〉
水木しげる　コミック昭和史2〈満州事変~日中全面戦争〉
水木しげる　コミック昭和史3〈日中全面戦争~太平洋戦争開始〉
水木しげる　コミック昭和史4〈太平洋戦争前半〉

水木しげる　コミック昭和史5〈太平洋戦争後半〉
水木しげる　コミック昭和史6〈終戦から朝鮮戦争〉
水木しげる　コミック昭和史7〈講和から復興〉
水木しげる　コミック昭和史8〈高度成長以降〉
水木しげる　総員玉砕せよ！
水木しげる　敗走記
水木しげる　白い旗
水木しげる　姑《クー》娘《ニャン》
宮脇俊三　古代史紀行
宮脇俊三　平安鎌倉史紀行
宮脇俊三　室町戦国史紀行
宮脇俊三　徳川家康歴史紀行5000㌔
宮部みゆき　ステップファザー・ステップ
宮部みゆき　震える岩〈霊験お初捕物控〉
宮部みゆき　天狗風〈霊験お初捕物控㈡〉
宮部みゆき　ぼんくら(上)(下)
宮部みゆき　日暮らし(上)(中)(下)
宮部みゆき　ICO《イコ》―霧の城―(上)(下)
宮子あずさ　看護婦が見つめた人間が死ぬということ
宮子あずさ　看護婦が見つめた人間が病むということ
宮子あずさ　ナースコール
宮本昌孝　夕立太平記
宮本昌孝　おねだり女房〈影十手活殺帖〉
皆川ゆか　機動戦士ガンダム外伝〈THE BLUE DESTINY〉
皆川ゆか　新機動戦記ガンダムW（ウイング）外伝〜右手に鎌を左手に君を〜
三浦明博　滅びのモノクローム
三好春樹　なぜ、男は老いに弱いのか？
見延典子　家を建てるなら
道又力　開封　高橋克彦
三津田信三　忌館〈ホラー作家の棲む家〉
三津田信三　作者不詳〈ミステリ作家の読む本〉(上)(下)
三津田信三　厭魅の如き憑くもの
三津田信三　首無《くびなし》の如き祟るもの
宮下英樹と「センゴク」取材班　センゴク合戦読本
宮下英樹と「センゴク」取材班　センゴク武将列伝
三輪太郎　あなたの正しさと、ぼくのセツナさ
村上龍　海の向こうで戦争が始まる
村上龍　アメリカン★ドリーム
村上龍　ポップアートのある部屋
村上龍　走れ！タカハシ
村上龍　愛と幻想のファシズム(上)(下)
村上龍　村上龍全エッセイ〈1976〜1981〉
村上龍　村上龍全エッセイ〈1982〜1986〉
村上龍　村上龍全エッセイ〈1987〜1991〉
村上龍　超電導ナイトクラブ
村上龍　イビサ
村上龍　長崎オランダ村
村上龍　フィジーの小人
村上龍　368Y Par4 第2打
村上龍　音楽の海岸
村上龍　村上龍料理小説集
村上龍　村上龍映画小説集
村上龍　ストレンジ・デイズ
村上龍　共生虫
村上龍　新装版 限りなく透明に近いブルー
村上龍　新装版 コインロッカー・ベイビーズ
村上龍・坂本龍一　EV.Café――超進化論

2010年12月15日現在

鶴岡市立 藤沢周平記念館 のご案内

藤沢周平のふるさと、 鶴岡・庄内。
その豊かな自然と歴史ある文化にふれ、 作品を深く味わう拠点です。
数多くの作品を執筆した自宅書斎の再現、 愛用品や直筆原稿、
創作資料を展示し、 藤沢周平の作品世界と生涯を紹介します。

利用案内　所 在 地　〒997-0035 山形県鶴岡市馬場町4番6号（鶴岡公園内）
TEL/FAX　0235-29-1880/0235-29-2997
入館時間　午前9時〜午後4時30分（受付終了時間）
休 館 日　毎週月曜日（月曜日が休日の場合は翌日以降の平日）
年末年始（12月29日から翌年の1月3日）
※臨時に休館する場合もあります。
入 館 料　大人300円［240円］ 高校生・大学生200円［160円］
※［ ］内は20名以上の団体料金です。
年間入館券1,000円（1年間有効、本人及び同伴者1名まで）

交通案内
・庄内空港から車約25分
・JR新潟駅から羽越本線で
JR鶴岡駅（約110分）
駅からバスで約10分
市役所前バス停下車
徒歩3分

車でお越しの方は鶴岡公園周辺の公共駐車場をご利用ください。（右図「P」無料）

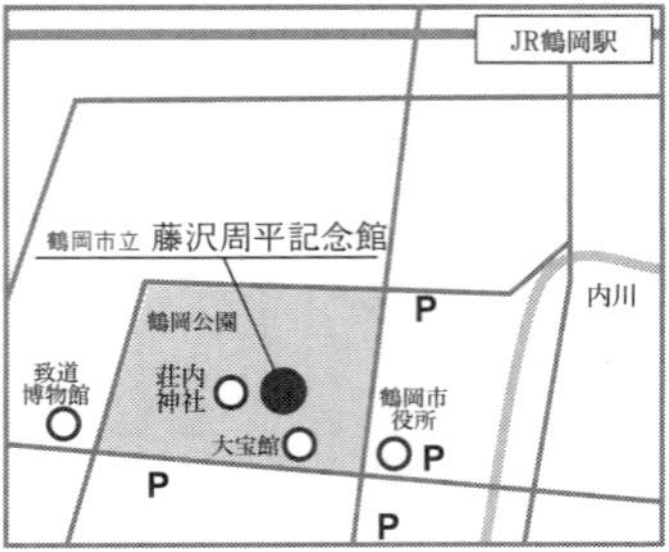

―― 皆様のご来館を心よりお待ちしております。――

鶴岡市立 藤沢周平記念館

http://www.city.tsuruoka.yamagata.jp/fujisawa_shuhei_memorial_museum/